「兄さんが感じてる……、俺に犯されて感じてる……
可愛いな、すごく可愛い」
うっとりとした声で衛が囁き、繋がった状態のまま
耳朶に舌を差し込んできた。

SHY NOVELS

鬼花異聞

夜光花

イラスト 水名瀬雅良

CONTENTS

鬼花異聞　007

あとがき　254

鬼花異聞

序　山神の子

The child of a mountain god

　僕には一つ年上の兄がいる。

　兄は会話ができるようになった三歳の頃から驚異的な記憶力を発揮し、周囲の大人の誰もが一目置いた。六歳の頃には中学生が習うレベルの英語や数学も習得し、この子は将来どれほどすごくなってしまうのかと両親を畏怖させたものだ。村中の人が兄を神童と呼び、遠くの町から偉い人がやってきたこともあった。

　兄は天才と呼ばれる頭脳を持っていたかもしれないが、それ以外の感情が欠落した子どもだった。僕はふつうの子どもだったので、両親に甘えることもなければ遊びに夢中になるわけでもなく、ただひたすら書物を読みふける兄は遠い存在に思えた。話が合わないし、何が楽しくて生きているのかよく分からなかった。兄にとって誰かとスキンシップをとったり、遊んだりするのは時間の無駄だったのだろう。

　兄はとても可愛らしい顔立ちをしていたが、生気がなく、一点をじっと見つめる姿は子ども心に不気味だった。僕には兄が生きた人形のようにしか思えなかった。

　僕たちが住んでいる村はとても田舎にあって、子どもたちはいつも山や川で遊んでいた。兄は物心ついた頃から虫が苦手で、外に出るのを嫌う子だった。虫を見た時だけ、浮かべる表情が年相応になった兄——変な話だが、その瞬間は兄が生きている人間だと実感できた。外で遊ばずに学習書や専門的な本を読んでいる兄は、当然近所の子どもたちとは疎遠だった。

ある日、恐ろしい出来事が起きた。

七歳になった三月三日の誕生日の日、兄が失踪したのだ。兄は忽然と僕たちの前から消えた。当然家の近所や村の中、山にまで分け入って捜しに行った。大勢の警察官や村役場の人たち、村の消防団の人も駆けつけて、兄の行方を捜した。迷子か誘拐か、どれだけ捜しても、痕跡すら見つけられなかった。

春がきて夏がきて秋が過ぎ去っても兄は姿をくらましたままだ。村の人は皆、神隠しだと噂した。その頃の両親の意気消沈ぶりは僕の記憶に深く刻み込まれている。僕にとっては人形が消えたくらいの出来事でしかなかったが、周囲の大人は皆兄を心配していた。

一年が経ったある日、山の中でボロボロの身なりでいた兄が発見された。

八歳になった兄は、疲れきっていたけれど命に別状はなかった。両親も周囲の人も喜び、兄の無事を神様に感謝した。ところが戻ってきた兄は、消えた時とはまるで別人になっていた。顔や身体は確かに兄なのに、あれほど頭がよかったはずが、字を読むことも書くこともできなくなり、言葉さえろくに話せなくなっていた。

「生きてさえいればいいのよ」

母は兄の変貌ぶりに落胆することもなく笑顔で言った。本来なら小学校に上がっているはずの兄が、今は幼児みたいにおもちゃで遊び、家中を走り回っている。本はびりびりに破るものだと思い込んでいるし、じっと座っていられない。何よりも変わってしまったのは、虫遊びをするようになったことだ。

あれほど嫌っていた虫を、兄は平気で触り、嬉々《きき》として追いかけている。

兄は別人になって戻ってきたのだと僕は思った。神様が魂を入れ忘れていたのを、失踪した時に入れてくれたのだ。もしかしたら本当は兄ではなく違う人が戻ってきたのかもしれないと思うこともあったが、以前のように本ばかり読む兄より、一緒に野山を駆け回る兄のほうが好ましかった。

僕だけではなく、友達の洋平《ようへい》や穣《みのる》も兄と遊ぶようになった。兄と山に入ると不思議なことがよく起きた。突進してきた猪《いのしし》が急に立ち止まって向きを変えたり、雨が降ってきてもどういうわけか僕たちのいるところだけ木々の葉で覆われて濡れなかったり。一度、洋平と穣が滝に落ちて溺れそうになったが、飛び込んだ兄がすごい力で二人を引き上げたこともあった。細身の兄があの頃近所でも一番身体の大きかった穣や洋平を助けたのは、目の前で見ていても信じられなかった。

天才ではなくなったかもしれないが、兄は天真爛漫《てんしんらんまん》を絵に描いたような子どもになったので、村の皆が兄を好きになった。僕も兄が大好きだった。

初夏のある日、僕と兄は一緒に山に遊びに行った。

兄は本能のまま山の奥に進み、僕はそれに従った。この頃の兄は山のことなら知らない場所がないくらい熟知していた。字もろくに読めなくなったくせに、どこそこにキノコが生えているだの、猪の巣があるだの、妙に山に詳しい。兄についていけば山で迷うこともなかったので、僕は安心して遊べたのだ。

　山の奥の見知らぬ場所に小さな祠《ほこら》があった。大小さまざまな石を積み重ねた土台の上に載っていて、高さは一メートルくらいの木でできた祠だ。僕はこんな場所に祠があるなんて知らなくて、驚きながら一応手を合わせた。

　その時いきなり空気が冷たくなり、なんだか分からないけれど得体の知れない嫌な気配を感じた。あれほど明るかった空が真っ黒な雲に覆われ、暗い森にでも入ってしまったようだった。鳥の声も消え、異様な静けさが僕たちを包み込む。気づくと兄が落ち葉の上に倒れていて、僕は慌てて駆け寄った。兄は息をしておらず、揺さぶっても呼びかけてもなんの反応も返ってこなかった。僕が真っ青になって震えていると、頬に生暖かい何かの吐息を感じた。

　一体いつの間にそこに現れたのか――目の前に白い着物を着た細い人がゆらゆら揺れていた。すぐに人間じゃないと気づいた。何しろ目の前の人は薄っぺらい紙のように厚みがなかった。もしかしたら僕はただの白い布を人間と見間違えていたのかもしれない。あの時の記憶は思い出すとそれだけでぞわぞわして、今でも自信がないのだ。

　一つはっきりしているのは、その白いゆらゆらした存在が、兄を連れ去ろうとしたことだ。それだけは、よく覚えている。

「兄さん！」

　僕は無我夢中で兄に抱きつき、そのゆらゆらしたものから守ろうとした。子どもながらに、兄を奪われてはいけないと思ったのだ。震えながら必死に兄を抱きしめていると、ゆらゆらしたものは動きを止めた。そしてなんとなく視線を感じた後に、耳触りの悪い声が聞こえてきた。

《その子は山神のものだよ》

今でも不思議なのだが、声は確かにそう言った。人間の声とはまったく違う、耳障《みみざわ》りな音がいくつも重なったような声だった。僕は懸命に頭を振り、ぴくりともしない兄にしがみついていた。

「兄さんは渡さない!」

僕は兄から離れたら、大変なことになるという一心で、兄に覆い被さった。僕は戻ってきてからの兄が大好きだった。よく笑い、一緒に駆け回り、抱きついてくる兄は、感情豊かで可愛らしかった。それを失うわけにはいかないと考え、僕は兄の身体を死んでも放すものかと苦しくなるくらい抱きついた。

どれくらいの時間が経ったのだろう。ゆらゆらしたものはしばらく考え込むように僕の周りをぐるぐる回り、やがて僕の頭を一撫でした。

《大きくなったら返してもらうよ。――――の誕生日に》

鳥肌が立つような声の後に、ふうっと気配が消えていった。

僕は数分の間、身動きもできずに兄を抱きしめていた。あれほど暗かった周囲が明るくなり、鳥のさえずりや木々の葉が揺れる音が戻っていた。

腕の中の兄が、もぞもぞと動きだす。

「衛《まもる》、見ろよ。こんなとこにカブトムシ見つけたぞー」

それまでの僕の恐怖などまったく知らない様子で、兄は寝転がったまま見つけたカブトムシを嬉しそうに腕に這わせている。あどけない顔で笑う兄は、先ほどまで息をしていなかったとはとても思えなかった。

僕は一気に脱力して、起き上がった兄に再び抱きつくと肩に顔を埋《うず》めた。暑いせいではなく冷や汗でびっしょりで、背中が気持ち悪かった。兄はきょとんとした顔で僕を眺め、にこっと笑うとカブトムシを手渡してくれる。

あの時僕の前に現れたのがなんなのか、分からなかった。

ただ、僕が兄を守らなければならないということは分かった。

僕はこの時、兄を一生守り抜くと小さいながらも決意していたのだ。

二門家の事情

The situation of the MIKADO

母は言う。ため息をこぼしながら。

「本当に心配だわ。私たちが死んだら、泰正《たいせい》はどうなるのかしらね」

父は言う。深く思い悩みながら。

「まったくだ。俺たちがいなくなったら、こいつはどうなってしまうんだろうなぁ」

弟は言う。父と母の目をしっかりと見つめながら。

「父さん、母さん。安心して。兄さんの面倒は俺が見るよ。兄さんより一日でも長く生きて、他人様《ひとさま》に迷惑をかけないようにするから」

今年初めて晴れた日の昼下がり、父母と弟――衛《まもる》は真剣な顔で語り合う。正月も三が日を過ぎ、親戚一同が顔を出し終えて、家には家族四人しかいなかった。今年の正月は祖父が海外旅行に行っていていつもより静かだ。泰正は今日も昼食に出てきたお雑煮を三杯お代わりし、お節料理の残りを平らげた。こたつを囲んでお茶を飲み、まったりした頃、例年通りの会話が始まった。

「兄さんを一人にするなんて、里に猪《いのしし》を放すようなものだよ。いや、猪っていうより猿《さる》かな？　まぁともかく俺が責任を持つから」

正月休みを利用して帰ってきた弟の衛は、まるでいつもそこにいるみたいに、我が物顔で泰正の斜め横に座っている。自分抜きで結束する三人に腹が立ち、三門《みかど》泰正は目の前のテーブルをガタガタと揺らした。

「なんで皆そんなに俺が心配なんだよ！　俺はいつだってどこでだって一人で生きていけるんだからな！　俺を谷山《たにやま》のじいちゃんみたいに扱うなよっ」

泰正がテーブルを揺らしたせいで、湯飲み茶わんがゆらゆらと揺れる。必死で自立できる男をアピールしているというのに、三人ともしょうがないなという目で見てくるのが余計に腹が立つ。昔からそうなのだ。泰正の家族はいつも泰正を半人前扱いする。一つ年下の弟のほうが何倍も頼りになると態度で伝えてくる。

「泰正、谷山のおじいさんは年金暮らしをしているんだぞ。ちょっとぼけていて、たまに家の前の道路で寝ていることもあるが、お前よりよっぽどちゃんとしている」

父の三郎《さぶろう》が窘《たしな》めるように泰正に言う。あんなぼけぼけのじいさんのほうが自分よりちゃんとしているだなんて、父はそこまで自分のことを信用していないのか。

「お、俺だって年金くらい払ってる。……払ってるんだよね？　かーちゃん、前に言ってなかったっけ？」

話しているうちに不安になり、新しいお茶を淹《い》れようとする母の衿子《えりこ》に確認した。母はお茶うけの黒ゴマせんべいを皿に載せて持ってきて、またため息を吐く。

「払ってますよ、あんたの分も。でも分かってるの？　年金は自分でとりに行かなきゃいけないのよ。

黙ってたらもらえないんだからね。泰正、お母さんもお父さんも、あんたより確実に先に死ぬのよ？　本当に、衛がいなければ心配でおちおち死んでもいられないわ」

急須にポットのお湯を入れ、母が泰正を見つめる。母は女性にしては背が高く、昔はミスなんとかに選ばれたとしょっちゅう自慢している。

「その前に、兄さん。年金ってなんだか分かってるの？」

レンズ越しに衛にひややかな瞳で見つめられ、泰正は視線を左右に揺らした。眼鏡《めがね》の弟は時に蔑んだような目で自分を見るのが怖い。

「えっと……お年玉……みたいなものかな？」

記憶を総動員して、がんばって答えてみる。案の定、衛がはぁと馬鹿にした顔になった。

「首相が聞いたら泣いて喜ぶよ。一年に一回払えばいいのかって」

「何度も説明したのに、その程度の理解力なのか。俺は悲しいぞ、泰正」

父が愕然《がくぜん》としてテーブルに突っ伏す。若い頃はイケメンだったと豪語する父は、最近肥満気味で母からちくちく言われている。年末からどてらを着込んだ姿は、実際、相撲大会《すもうたいかい》に出られそうだ。

「兄さんには説明するだけ無駄だよ。興味ないことは、右から左へ抜けるんだから」

父母の不安に応《こた》えるように衛は眼鏡を指先で押し上げ、微笑んだ。

「二人とも大丈夫だよ、兄さんのことは安心して俺に任せて。もちろんまだまだ父さん母さんには元気でいてもらわないといけないけどね」

しめくくりのように衛が両親の顔を眺め、泰正の頭をポンと叩く。これは毎年正月がくると繰り返される行事のような確認作業だった。泰正の意見はまるで相手にされず、父母と弟で繰り広げられる寸劇だ。泰正はやり場のない怒りを、衛の手を摑み、がぶりと嚙みつくことで解消した。

「痛いよ、兄さん」

呆れた口調で鼻を摘まれ、息ができなくなって嚙んでいた手を放してしまう。けっこう強めに嚙んだのに、衛は痛みなど感じていないみたいだ。小さい頃からやけに落ち着いているこの弟は、大人になった今では世の中のことはすべて知っているとでもいわんばかりに、たいていのことには動じない。そのわりにキレると別人のように恐ろしくなるので、泰正はあまりしつこく絡まないようにしている。

「本当にいくつになっても、動物っぽいな」

衛が歯形の残った手の甲を泰正に見せつけて苦笑する。人間も動物のはずだが、もしかして違うのだろうか……。口では逆立ちしても敵わないので、泰正は黒ゴマせんべいを齧《かじ》って怒りを誤魔化した。

「兄と弟が逆なら、よかったわよねぇ」

母が泰正と衛を見つめて、朗らかに笑う。父と衛も笑いだし、また泰正だけ除《の》け者《もの》だ。

三人の笑い声を聞きながら、泰正はひたすらせんべいを食べ続けた。


泰正の住んでいる家は四国の山奥にある神谷村《かみやむら》の高台に位置し、家族はみかん農園を営む明るい両親と一つ年下の弟だ。

泰正は今年二十五歳になる。義務教育である地元の中学校を卒業した後は、高校には進まず両親のみかん作りを手伝っている。泰正自身はそう思わないのだが、皆がアホだアホだと言うので、頭はあまりよくないのだろう。言われてみれば学校もろくに行かず野山を駆け回っていたし、試験と名のつくものはすべて最下位だった。ともかく机の前でじっとしていることができない。狭い空間にいるとそこから飛び出したくて仕方なくなる。中学校の教師からは野生児、友人からは猿と言われた。

理解力がないわけではないが、勉強が苦手なのは明白で、そんな泰正に両親は無理に進学を勧めなかった。代わりに仕事を手伝うよう言われ、泰正は青空の下みかん作りに勤《いそ》しんでいる。泰正にとってみかん作りは非常に楽しく、向いているようだった。

弟の衛は、兄の目から見ても非の打ちどころのない青年に成長した。

背の高い両親に似て、身長は一八〇センチあるし、顔は凛々《りり》しくまつげが長い。目つきが鋭いのを気にして眼鏡をかけている。たくさんの人に囲まれても目を惹くくらい、すらりとした身体つきで、気づいた時には学年首席、高校も大学も有名なところに進学した。東京の大学に進学するため一人暮らしを始めると言った時も、両親は反対することなく頷いたほど信頼が厚い。

それだけならまだしも、嫌みなくらい出来のいいこの弟は、大学在学中にミステリー小説を投稿して、それがすぐさま編集者の目に留まり、あれよあれよという間に売れていっぱしの大先生になってしまった。それで有頂天になるなら少しは可愛げがあるのに、生真面目な顔で「作家業は水商売に近い、ヤクザな仕事だよ。だからしばらくは会社員として生計を立てる」とのたまい、大手通信メーカーに就職した。仕事の傍《かたわ》ら小説も書いているらしく、泰正の家の神棚には数冊のハードカバーの本が飾ってある。ちなみに泰正は文章は二行までしか読めないので、衛の小説は読んだことがない。

衛は本当に可愛くない弟なのだ。泰正が兄として勝っている部分は、あまりない。中でも一番ムカつくのは、身長差だ。両親ともでかいのに、何故か泰正は一六〇センチしかない。毎日牛乳も飲んでいたのに、十五歳くらいで成長が止まってしまった。未《いま》だに高校生と間違われるような童顔のせいか、衛と並んでいても誰も兄弟だと思ってくれない。逆に衛のほうが兄だと思われる始末だ。

存在自体が嫌みな弟だが、いいところもある。泰正に対する愛情が大きいことだ。口では憎まれ口を叩くが、衛は盆暮れ正月だけではなく、泰正の誕生日には必ず帰ってきて、一緒にいてくれる。でかいなりをしていてもブラコンなのだ。

それはいいのだが、正月のたびに泰正の将来の面倒を見る話になるのが、泰正としては不満だった。こんなに立派に生きているというのに、家族は皆半人前扱いするのだから。

「どこ行くの、兄さん」

父母と弟の攻撃に耐え切れなくなり、こたつを抜け出した泰正に衛が声をかけてくる。

「よーちゃんも帰ってきてんだろ。穣《みのる》も誘って遊びに行くんだー」

泰正が元気よく答えると、衛もこたつから抜け出してくる。幼馴染《おさなじ》みの洋平《ようへい》は、衛と同じくふだんは東京で生活している。衛と違い、洋平は正月と収穫期くらいしか帰郷しないので、なかなか会えないのだ。もう一人の幼馴染みの穣は消防士になり、隣町の消防署で働いている。

「俺も行くよ。兄さん、外は雪だからマフラーして」

セーターにズボンという服装で飛び出そうとした泰正を引き止め、衛がフックにかけてあったマフラーを、泰正の首にぐるぐると巻きつけてくる。マフラーなどなくても平気だと思うが、衛は都会っ子になったのか、コートに手袋まで装備している。泰正は支度している衛をよそに、長靴に足を入れて玄関の引き戸を開けた。

外は真っ白で、積雪は十センチほどだ。山が近いので雪が降ると積もりやすいが、天気はいいし、泰正にとってはなんの支障もない。

「遅いぞ、衛」

先ほどまで散々馬鹿にされた仕返しに、雪の中を走って衛をおいてけぼりにした。呆れたような衛の声が引き戸の奥から聞こえてくるが、遅い遅いと笑いながら走って雪を蹴散らす。昨日降ったばかりの雪が降り積もった地面には、泰正の足跡しかついていない。何しろここは田舎なので、隣の家までは二十メートル近くある。綺麗な雪を踏み荒らすのはなかなか爽快だ。雪が積もった傾斜の道をぐしゃぐしゃにしていると、調子に乗りすぎたのか滑って転んだ。

「兄さん、子どもじゃないんだから」

泰正に追いついた衛が、雪の上で寝転んでいる泰正に、手袋をはめた手を差し出してくる。それを思い切り引っ張って転がしてやると、珍しく焦った声を出して衛が地面に手をついた。衛は泰正に重なるぎりぎりのラインで身体を支え、腕立て伏せみたいな体勢になっている。

「ひひひ。うらうら」

泰正が笑って衛の脇をくすぐると、衛が顔を引《ひ》き攣《つ》らせて体重を落としてきた。いきなり重い身体が乗っかってきて、泰正は逃げ出そうともがく。

「兄さん。俺が寝技が得意なの、知らなかったかなぁ」

衛は明らかにこのスキンシップに腹を立てている様子で、逃げ出そうとする泰正の背中を雪の上に押さえつけてきた。泰正は両手両足をカニのように動かし、悲鳴を上げた。

「あひいいい、お許しくだせぇ」

衛に押さえつけられて簡単に動けなくなった泰正は、雪を掻いて助けを求めた。すると道の向こうからやってきた二人の男が、やれやれといった様子で泰正たちを見下ろしてくる。

「何やってんだ。ガキみたいに」

ダッフルコートに身を固めた大柄な男は曾根崎《そねざき》穣だ。消防士として働いていることもあり、体力はこの四人の中で一番ある。背の高い衛より大きく見えるのは、肩幅ががっしりしているせいだろう。

「泰正、一ミリも成長してないな。このクソ寒いのにマフラーだけとか、すごくね？　大体四国って南にあるわりになんでこんなに寒いんだろう」

ニットの帽子を目深《まぶか》に被った男は、横峰《よこみね》洋平だ。泰正と同い年で切れ長の目をしていて、いつも冷めた言葉を泰正にかけてくる。洋平は衛と同じく東京の大学に進んだ後は東京で就職し、正月くらいしか帰省しない。

「今そっちに行こうと思っていたところだ」

洋平と穣に呆れた目つきで見られ、衛は急いで立ち上がり咳払いする。衛の手で引っ張り上げられ、泰正は「久しぶりだなぁ」と洋平に声をかけた。手袋もしていない泰正を見て、洋平は唇の端だけ吊り上げて泰正の衣服についた雪を黙って払いのけた。

「よーちゃん、ぜんぜん帰ってこないから、お前んとこのばーちゃん寂しそうだったぞ。身体弱くてしょっちゅう死ぬ死ぬ言ってるんだから、もっと帰ってこいよー」

洋平に背中を叩かれながら文句を言うと、馬鹿にした笑いが戻ってきた。

「あれは死ぬ死ぬ詐欺。あのばばぁ、あと三十年は死なないよ。大体こっちに戻ってきても遊ぶ場所ないし。もう明日向こうに帰るよ」

洋平はあっさりと言って、ポケットから煙草《たばこ》をとり出す。せっかく帰郷しても洋平は田舎より都会暮らしが性に合うとかですぐに去ってしまう。ここはとてもいいところなのに、空気の悪い東京のほうが好きらしい。

「洋平、もう帰るのか。俺も明日から仕事だ」

洋平が明日帰ると聞き、穣はため息を吐いた。消防士は激務だ。せっかく会えても渡り鳥みたいにすぐに去っていく。

「とりあえずどこかへ移動しよう」

衛が促して、四人で雪の坂道を歩きだす。洋平は歩き煙草をしていて、その後ろを歩いている穣が煙そうに顔の前で手を振っている。煙草のどこが美味いのか泰正には謎だ。以前、洋平から衛が煙草を吸っていると聞いたが、泰正は一度もそんな姿を見たことがない。

「あー。パチンコもねーし、カフェもねーし、漫喫もねーし、あるのは畑ばっかりだ。よくこんなとこで暮らせるな、お前ら」

洋平が見渡す限りのみかん畑を眺め、ふぁーとあくびをする。

「何言ってんだ、遊ぶ場所ならたくさんあるじゃん。雪が降った山はすごい綺麗だぞ。獣の足跡が残ってるから、ちっこいのなら捕まえられるんだぞ」

洋平は帰ってくるたびにつまらないと言うが、何がつまらないのか泰正にはちっとも分からない。四季がうつろえば山は景色を変えるし、みかんも日が経つにつれて成長するから見ていて飽きない。何よりも空気が綺麗で空の色は美しいし、いるだけで楽しくなる。二年前に一度だけ衛の住んでいる東京に遊びに行ったが、空気は悪いし空の色はどんよりしているしでひどく居心地が悪かった。

「泰正は山の子だからね」

泰正がここの暮らしのよさをアピールしていると、穣が笑って頭を叩いてきた。

「こらーっ、俺様の頭を叩くなっ」

「あ、わりぃ。また縮んじゃうな」

穣が両手を上げて後頭部に回す。穣のように大きく育った人間にちびな人間の気持ちは分からないのだろう。泰正は乱れた髪を手で直し、何げなく衛を振り返った。何故か衛が怖い顔で穣を見ている。

「どした、衛。あっ、お前もお兄様を馬鹿にされたようで悔しかったか？」

衛が険しい顔つきをしていたので、きっと穣に頭を叩かれたのが傍から見ていても気に障ったのだろうと思った。なんだかんだ言っても、衛は泰正を兄として敬ってくれている。

「あ、いやごめん。なんの話？」

泰正は目を輝かせて衛を見たのに、肝心の衛は話をまったく聞いていなかったようで、眼鏡のレンズの曇りをハンカチで拭《ぬぐ》っている。

「もういいよ。ったく、それよりさっちゃんち行こうぜ。あそこんちの汁粉が一番美味いんだぜぇ」

率先して歩きだし、泰正が行き先を決める。三人とも異議は唱えなかったので、村で一番情報通の佐智子《さちこ》の家に向かうことにした。佐智子は今年還暦を迎える元村長の奥さんだ。若い頃は女優やモデルをしていたと村の人間が噂するほど、歳《とし》を感じさせない若さと美貌を保っている。地元の中学校の音楽教師をしていたこともあって、泰正は気軽にさっちゃんと呼んでいるが、衛たちは礼儀正しく佐智子先生と呼んでいる。

泰正の家から坂道を下り、雪景色の中を四人で他愛もない会話を続けながら歩いた。幼馴染みたちは地元を離れていても、帰郷すれば昨日会ったかのように笑って話せる相手だ。泰正の住む神谷村は農業が盛んで、豊かな土壌からは美味しい果物や野菜がとれる。泰正の家のみかんも甘みが強く、人気がある。とはいえ田舎の村なので、人口は減っている。本当は洋平に地元に戻ってきてほしいが、農業しか生業がないこの地域では仕事は限られる。それでも山向こうにある鬼沢村《きざわむら》に比べると神谷村は恵まれているほうだった。山一つ隔《へだ》てただけなのに、鬼沢村は土地が農業に不向きなせいもあって、人口は年々減る一方で過疎化が加速している。

「さっちゃーん」

泰正の家から十五分ほど勾配《こうばい》のある道を辿り、竹垣に囲まれた純日本風の家に着いた。勝手に門を開けて松が植えられた庭に入り、泰正は大声を上げた。しばらくすると庭に面した縁側の障子《しょうじ》が開き、着物姿の年配の女性が出てきた。

「おや、悪がきどもめ、やっと顔を出したかい。お上がりなさいよ、モチを焼こうと思ってたところだよ」

佐智子が泰正の後ろにいる三人を見て、にんまりと目を細める。洋平が首をすくめ、舌を出した。

「佐智子先生、重力に負けてきてるな。いろいろ垂れ下がってきてるぜ。あとは干からびて死ぬだけじゃん」

縁側から靴を脱いで上がり込みながら、洋平が憎まれ口を叩く。

「ぬかせ、坊主。アタシの魅力が分からないなんて、ほんとに青いねぇ。その点泰正は見る目があるのさ。犬っころみたいにアタシを好いてくれるからねぇ。アタシも亭主が死んで久しいし、若いツバメでも囲うかね」

洋平の尻を叩いて、佐智子が泰正にウインクする。

「若いツバメ……って何?」

勝手知ったる佐智子の家に上がり込んで、泰正は首をかしげた。穣も洋平もコートを脱ぎつつ、知らないと首を振る。

「若いツバメとは、その昔平塚雷鳥《ひらつからいてう》という婦人運動家が……って、兄さん。いくら兄さんに嫁が来る予定がまったくないからっていっても、佐智子先生に誘惑されちゃ駄目だよ」

重ねてあった座布団を各自に手渡して、衛が真剣な顔で泰正を諭してくる。

「俺。さっちゃん好き」

汁粉を運んでくる佐智子に駆け寄ってお盆を受けとる。佐智子は優しげな目で嬉しそうに笑い、衛を横目で見る。

「ほーら、衛。あんたの大事なお兄ちゃんはアタシの連れ合いになるかもしれないよ。そうしたら佐智子義姉《ねえ》さんって呼ばなきゃいけないんだからね」

焼いたモチをそれぞれの汁粉に入れて、佐智子がからからと笑った。衛はしばし無言になったかと思うと、眼鏡のレンズを光らせ懐《ふところ》に手を入れた。

「ふ……。兄さん、ほーらこれを見てごらん」

衛が手のひらサイズの薄いパッケージのお菓子を見せびらかす。ハッとして泰正は空になったお盆を床に落とした。

「そ、それは仰天活劇チョコ……ッ」

泰正の目がくわっと開く。

「これが欲しかったら、佐智子先生に誘惑されちゃ駄目だよ」

「うんうん」

ころりと意見を変えて、泰正は衛の隣に移動して仰天活劇チョコレートをもらった。泰正の大好きなお菓子で、パッケージの中にお菓子と一緒にシールが一枚入っているのだ。シールにはいろいろな種類があり、泰正はコレクションしている。

「お菓子で釣るのか……。衛、情けなくないのか？」

大喜びでチョコレートのパッケージを開ける泰正を見て、洋平が顔を引き攣《ひ　つ》らせる。

「なんとでも言ってくれ。兄さんは犬と同じだよ。おやつさえあれば言うことを聞く」

衛が何か失礼なことを言っている気がしたが、それよりも入っていたシールが持っていないレアなもので、泰正は「うひょうう」と喜びの声を上げた。衛はくじ運がとてもいいのだ。

「俺の一番下の弟もそのシール集めてるなぁ」

穣が泰正の手にあるきらきらとしたシールを見て微笑む。穣の一番下の弟は今年小学校に上がる予定の、泰正の友達だ。

「ん？　衛、さっき俺のこと犬って言ったか？」

今頃になって衛の言葉が脳に届いた。

「衛、お前お兄様になんつーことを。俺は犬じゃないぞ、嫁だっていつか来てくれると信じてるんだからな。一緒にみかん作りをしてくれて、おやつの時間にプリンを作ってくれる、そんな嫁が俺にだって現れるに違いない」

出された汁粉に箸を入れつつ、泰正は夢を語った。顔はそんなに可愛くなくてもいいし、少しふくよかなほうが女性は好きだ。泰正が自分の理想の嫁像を語っていると、洋平が汁粉を噴き出しそうになった。

「泰正、お前マジで結婚とか考えてんのかよ？　ないない、お前に嫁とか。いや待てよ、黙ってれば顔はイケてるからありえなくもない……のか？」

洋平がじーっと泰正の顔を見て呟く。そんなに見つめられると照れる。

「美紀《みき》は俺のこと好きだって言ってくれてるぞ」

「おい、俺の妹はまだ小学校六年生だぞ。手ェ出したら殺すかんな」

洋平が目を剥いて脅《おど》してくる。恐ろしくなって泰正は衛の陰に隠れた。

「衛、お兄様のピンチだぞ。出動を命じる」

「兄さん、小さい子には手を出しちゃ駄目だよ。年増も困るけど」

衛に守ってもらおうと思ったのに、真剣な顔で注意されてしまった。何故そんな分かりきったことをいちいち説明してくるのか。

「皆、俺のことなんだと思ってるんだ？　子どもを相手にするわけないだろうが。半人前扱いするし、ロリコン扱いだし、皆は俺を誤解している！　本当の俺を誰も分かってくれない！」

冗談で言っているのに、皆に本気で言っていると思われているようで焦ってきた。確かに高校には行かなかったが、ちゃんと仕事もしているし真面目に生きているのに。

「汁粉を飛ばしながら言われてもね……。まぁとりあえず、洋平。美紀ちゃんにくれぐれもよろしく」

「ああ、よっく言い聞かせておくよ」

泰正の訴えは軽くスルーされ、衛と洋平は分かり合えたと言わんばかりに頷き合っている。横で佐智子と穣は笑っているし、泰正としては甚《はなは》だ不本意だ。

「本当に泰正はいいわね。泰正がいると、久しぶりに会っても皆いつも通りになるわねぇ」

佐智子が楽しそうに笑って話す。佐智子は元村長である夫を亡くしてから、ずっと一人暮らしなのでこうして人が遊びに来ると楽しそうだ。泰正はよく遊びに来るが、一人で騒いでいても限度はある。若い男に囲まれている時が佐智子は一番生き生きしている。

「衛は忙しいのかい。先生様なんだろ？」

汁粉を食べつつ近況を語り合っていると、いつものように佐智子が衛をからかいだす。佐智子は教え子が有名になって嬉しいらしい。逆に衛はからかわれるのが嫌なので、仕事の話になるといつも仏《ぶっ》頂面《ちょうづら》だ。

「まぁ、ほどほどですよ……それより村のほうはどうなんですか」

衛に話を振られ、佐智子が最近の様子を語ってくれた。泰正はこういう説明が下手だが、佐智子はそれぞれの家の重大事件を分かりやすく話して聞かせてくれる。あそこの家の娘が嫁いだとか、あっちの家の誰が死んだとか、村のことならなんでも知っている。

「あとは平助《へいすけ》んとこの孫の太郎《たろう》が最近具合を悪くしてるねぇ」

お茶を淹れながら佐智子が困った声を出し、泰正はびっくりした。平助の孫の太郎は今年十歳になる小学生で、たまに泰正とも遊ぶ仲だ。最近ちっとも姿を見せないと思っていたが、具合が悪かったのか。

「おおむね平和っつーところだろ、ここは。のんびりしてるし」

洋平はあくびを一つして面倒くさそうに呟く。洋平は村が嫌いなのかしょっちゅうこうやって馬鹿にするような言葉を吐くが、なんだかんだいっても毎年正月には帰ってくるし、横峰の家で作っている葡萄《ぶどう》の収穫期には戻ってきて手伝っている。以前泰正が疑問に思って尋ねると、衛がしたり顔で「洋平は東京にいる時はいる時で、あっちの悪口言ってるからな。なんでも文句を言わずにはいられない性格なんだろう」と教えてくれた。

「穣はずっと隣町の勤務なのかい？」

佐智子が手作りのあんまんを温めて持ってくる。佐智子の家に来ると甘いものが次から次へと出てくる。

「どうかな……。次は異動になるかも。父さんは何年か違う土地で働いてみたほうがいいって。泰正みたいにずっと村しか知らないとおかしくなるって」

穣に意味ありげな目つきで見られ、泰正はあやうくあんまんを咽《のど》に詰まらせそうになってしまった。

「そりゃそうだ。穣、お前の父ちゃんは正しい。少しは世間の厳しさとか風当たりのきつさとか知っといたほうがいいぞ。泰正なんか、大阪あたりに放り出されたら大変なことになるな。騙《だま》され、そそのかされ、帰りの交通費までむしりとられる。そんでこいつはきっと、それでも騙されたことに気づかずへらへらしてるだろうさ」

洋平がげらげら笑って、身を乗り出してくる。なんだかとんでもない能天気野郎と言われたようだ。村に残ることの何が悪いのか分からない。非常に馬鹿にされた気がするが、どう怒っていいのか分からず泰正は口をぱくぱくした。すると横から衛が食べかけのあんまんを口に突っ込んできた。

「大丈夫だよ、兄さん。兄さんのことは俺がしっかり守るから。仮に騙されたら俺が百倍にしてやり返してやるよ」

真剣な顔で衛に言われたが、そっちのほうが情けない気がするのは気のせいだろうか……。

「衛。お前、泰正の弟っていうよりおかんみたいだぞ」

洋平にからかわれても、衛は平然と微笑む。

「不出来な兄を助けるのは弟の役目だよ。大丈夫、我が家では兄さんの通帳や印鑑、その他の書類は兄さんの知らない場所に隠されているからね」

悠然と笑う衛に毒気を抜かれたように洋平と穣が絶句する。妙に恥ずかしくなり、泰正はあんまんを咀嚼《そしゃく》して三人に目を向けた。

「なぁ俺に嫁、来るかな？」

泰正の問いに、佐智子と洋平と穣が同時に「無理」と答えた。それに何故か衛が嬉しそうに頷いた。


日が暮れるまで洋平や穣と積もる話をして、夕飯時に泰正と衛は帰宅した。

空が赤く染まる道を衛と歩いていると、何人かの村の住人と出会い、「これ持っていきなさいよ、泰正ちゃん」と野菜や果物を押しつけられる。泰正は神谷村の人気者だ。村の人はいつも泰正にお裾分けしてくれる。

年末年始はばたばたしていて連れていけなかったので、泰正は衛をみかん畑に案内した。傾斜のある土地にしっかりとみかんの木が植わっている。みかん畑にも雪は積もっていて、情緒ある光景になっていた。数年前に畑を拡張したので、遠くからでも自分のところのみかん畑が見えるのが誇らしい。衛は去年の収穫期である十一月には帰ってきて手伝ってくれた。みかんは水を多く吸うと甘くならないので、今年は台風があまりこなければいいなと思う。

「衛のおかげで除草機が新しくなって助かったぞ」

泰正の家では除草剤を撒《ま》かないので、しょっちゅう草刈りをしなくてはならない。その苦労を知っているからか、衛が印税で除草機や運搬車を購入してプレゼントしてくれた。愛用しているのを教えたくて小屋に行って衛に除草機を見せると、満足げに微笑んでくれる。

数年前から始めたビニールハウスでのみかん栽培も順調だ。畑を拡張したにもかかわらず家族三人でやっているので大変な時もあるが、泰正はみかん作りが好きだ。うちのみかんが世界中で一番甘くて美味しいと思うし、泰正の愛情にみかんも応えてくれている気がする。

「……なぁ、衛」

雪を踏みしめながら、泰正は気になっていた話をした。

「サラリーマンやめるんだろ？　やめたら戻ってきてくれるんだよな？」

衛は小説の仕事が多忙になってきたので、そろそろ勤めている会社を辞めるようだと母が言っていた。だから泰正は衛が戻ってくるものと思っていたのだが、今日いろいろ話しているのを聞いて、もしかして帰ってくる気はないのかと不安になっていた。洋平と違い、衛は長い休みにはいつもこの村に戻ってきてくれる。だから衛もこの村が好きなのだと思っていた。

「……うーん」

泰正の顔を見て、衛が言いづらそうに目を逸らした。衛が眼鏡のつるに手をかけ、目線を隠す。

「兄さん、怒らないで聞いてほしいんだけど」

「おおおお前、帰らない気かよぉ！　小説の仕事、どこでもできるって言ってたじゃん！　俺たちより東京のほうが好きなのかよぉ!!」

　衛が帰ってこないかもと焦り、泰正は動揺のあまり衛に飛びついた。泰正のジャンプ力がすごかったせいか、衛は雪の上に引っくり返る。泰正は涙目で弟の上に乗っかってしがみついた。

「いって……、兄さん落ち着いて」

「これが落ち着けるかよぉ！　衛、お前は変わっちまったよ、都会の色に染められやがって。俺のガラスのハートは粉々だよ！」

　衛の腹をぼかすかと殴って詰《なじ》っていると、泰正が両方の手首を摑んでくる。

「だからもう痛いって」

　イラッとした顔で衛が起き上がり、逆に泰正の身体を雪の上に押し倒してくる。腹の立つ弟を殴ろうとしたが手首を強い力で摑まれて身動きがとれない。毎日農作業をしている泰正だが、衛のほうが体格がいいせいか喧嘩《けんか》では敵わない。

「裏切り者ぉ」

　泰正は目を潤ませて身体をばたつかせた。

「だからまだ何も言ってないだろ!!」

　じたばたしていると、こめかみをぴくぴくさせて衛が怒鳴る。言われてみると確かに衛は話の途中だった。涙が引っ込んで、顔中に笑みが広がる。

「じゃあ戻ってくるのか？」

　自分の勘違いだったかと泰正が目をきらきらさせて聞くと、また衛が黙り込む。やっぱり、と泰正が再び暴れだしそうになったとたん、凄みながら見下ろしてきた。やばい。衛が本気で怒るととても恐ろしいのだ。キレそうになった衛に怯《おび》え、泰正はおとなしくなった。

「……今、悩んでるところなんだよ」

泰正が話を聞く態度になったためか、衛の険しい目つきが弛んで答えてくれる。何故悩むのか、悩む必要などない、戻ってくればいい。泰正はそう思ったが、衛の考えは違うようだ。泰正と違って頭のいい衛は、いろいろ思うところがあるらしい。

「まったく……。兄さん、手が冷たいじゃないか」

雪の上に押さえつけられている状態だったのもあって、身体が冷えていた。衛が押さえつけていた手首を握り引っ張り上げてくれる。泰正は感覚が鈍くて、身体が冷えているのに気づかないことがある。

「こんな冷たい手でよく平気だな……。手袋越しでも分かるくらいだ。氷を触っているみたいだよ」

手袋をしている衛が、泰正の手を包み込んで、はぁーっと温かい息をかけてくる。我が弟ながら顔立ちが整っている。近くから衛の顔を見ているうちにピンと閃《ひらめ》くものがあった。悩んでいると言ったが、もしかして嫁を連れてくるつもりなのではないだろうか？　洋平の話では衛は女性にモテるらしいし、都会なら出会いも多いだろうからありうる話だ。泰正としては衛の嫁さんなら仲良くなる気満々だし、一緒にみかん畑を手伝ってくれたら最高に楽しいと思う。

「何じっと見てんの？」

まじまじと衛の顔を見上げていたせいか、衛は突然手を離し、照れくさそうにそっぽを向く。衛はじっと見られるのが苦手なのか、よくこんなふうに唐突に身体を離す。泰正はにらめっこをしたら勝つ自信がある。

「俺はお前の嫁なら大歓迎だぞ」

にこにこして泰正が言うと、衛がちらりとこちらを見る。

「兄さん。またくだらないこと考えてるだろ……はぁ」

大きなため息を吐いて衛が首を振る。嫁の話はくだらなくないと思うが、そういえば衛から好きな女性の話を聞いた例《ためし》がないと気づいた。

「俺の弟がモテないわけない。衛、女の子嫌いだっけ？」

言われて初めて気づいたのだが、小さい頃から衛はあまり女性の話はしない。中学生の時は女の子と歩いていたりもしたが、誰それとつき合っているという話はいつも他人から聞く羽目になる。兄弟なのに、衛は泰正につき合っている女性を紹介してくれたことも、何かの折に話してくれたこともない。むしろ成長するにつれ女性の話は一切しなくなった。

「……その話はやめよう。兄さん、俺にだって悩みやコンプレックスはあるんだ」

また硬い顔つきになり、衛は背中を向けて歩きだしてしまった。よく分からないまま泰正も衛を追いかけた。いつも頭の回転が速くて何事もそつなく器用にこなす衛だが、実は人知れず悩みを抱えていたとは。けれど女性関係で悩むことがあるとは思えなかった。外見は文句なしに格好いいし、女性に対する愛想もいいからモテるだろうに。

拒絶する背中を追いながら、泰正はひたすら首をひねっていた。

翌日は天気も良く、降り積もった雪はだいぶ解《と》けていた。明日、衛は東京へ帰ってしまうので、泰正としては今日のうちにたくさん遊んでおきたい。温室栽培のみかんに水と肥料をやり、温度調節を確認してから衛を外に引っぱり出した。衛は家の中で過ごすのが好きらしいが、泰正は家で遊ぶより外で遊ぶ方が断然楽しい。

「せっかく帰ってきたんだし、いろいろ顔を見せてやれよ」

面倒くさがる衛の背中を押し、隣町の消防署に連れていこうとした。隣町といっても村役場のすぐ先がもう隣町なので距離はそれほどではない。消防署は近くの高台にある。小さいながらも消防車が一台常備してあって、近隣の市町村で火事が起きた時は出動するのだ。泰正も村の消防団に入っていて、緊急の際には消火を手伝う。消防署では同じ中学校出身の友人や先輩たちが何人かいるから、挨《あい》拶《さつ》させておきたい。

「衛、早く」

だらだらと歩く衛を坂の上から大声で呼ぶ。じっとしていられない泰正は、やりたいことがあると他のことが何も考えられなくなる。今日も坂道を一気に駆け上がり、衛が小さくなるほど先を急いでしまった。

「泰正君」

高台で衛が来るのを焦《じ》れて待っていた泰正は、ふいに背後から声をかけられて、びくりと飛び上がった。

振り返ると、いつの間にか背広姿の四十歳くらいの男性が立っていた。村役場で働いている添木治良《そえぎはるよし》だ。昔ラグビー部だったとかで、恰幅がよく、声にも張りがある。

「あ……」

添木がにこにことして近づいてきて、泰正は固まって動けなくなった。添木はいつものように馴れ馴れしく泰正の肩に手を回すと、顔を近づけて話しかけてきた。

「あけましておめでとう。今日も元気だね。俺に会いに来てくれたの？」

ねっとりとからみつく視線で見つめられ、泰正は呼吸が苦しくなって視線をきょろきょろさせた。

「う……」

泰正は添木が苦手だ。添木といると、嫌な空気が全身にまとわりつくようで、まともにしゃべれなくなる。自分でも何故か分からないのだが、泰正は苦手な相手の前では思考が停止してしまう。特に添木に対してはこれまでまともに会話できたことがない。

「君はいつも俺といると緊張するね。大丈夫だよ、俺は優しいだろ？」

添木の指先がうなじを這って、ぞわっと怖気立《おぞけだ》った。泰正は冷や汗を流しながら、蛇《へび》に睨まれた蛙《かえる》みたいに動けなくなりひたすら地面を見ていた。

「兄さん、何してるの」

坂道のほうから衛の声が聞こえて、泰正は呪縛が解かれたように動きだせた。怪訝《けげん》そうな顔つきで近づく衛に急いで駆け寄り、背後に隠れる。

「兄が何か?」

衛はうさんくさそうに添木を見て、目を細める。添木は衛に目を見開き、愛想のいい笑顔を浮かべた。

「ああ、泰正君の弟さんですか。お噂は聞いていますよ、小説家さんだとか。私は去年ここの村役場に配属された添木です。よろしくお願いしますよ」

添木は内ポケットから名刺をとり出して、衛に近づく。衛は差し出された名刺を受けとると、あからさまにきつい視線を添木に送った。

「それはどうも。兄さん、行こう」

侮蔑的な目で添木を一瞥《いちべつ》すると、衛は泰正の手を引いて消防署に向かった。添木は衛が背中を向けたとたん、無表情になり唇を歪めた。その様子を見てしまった泰正は添木が怖くて一刻も早くその場を離れようと、逆に衛の手を引っ張るようにして、足を速めた。

「——あの男、気をつけろよ。兄さん、変な男に好かれやすいんだから」

添木の姿が見えなくなったのを確認すると、衛が気に食わないという口ぶりで言ってきた。少し話しただけだが、勘のいい衛は泰正と添木の間の妙な空気を感じとっている。

「うん……」

すっかり落ち込んで泰正も呟いた。泰正の元気がない様子に、衛は消防署の近くの茂みに泰正を引っ張り込んだ。誰も人がいないところで、向かい合って衛に詰問される。

「兄さん、ちゃんと答えて。あの男、兄さんに触ってきたりする? 変なこと言ったりする?」

肩に手を置かれ、真剣な顔で聞かれ、泰正は呼吸が荒くなった。

「あ、あの男みたいには、さ、触らないけど、く、空気が似て、るから」

必死になって説明しようとしたが、声が震えてつっかかってしまう。サッと衛の顔色が変わり、大きな腕がぎゅーっと抱きしめてくる。衛の身体に包まれ、よく知っている匂いを嗅《か》ぐと、それまで氷のように固まっていた張りつめた空気が溶《と》けていく。

「……。衛ー」

衛の腰に手を回し、ぎゅうぎゅう抱きつく。力いっぱい抱きつかれて痛かったろうに、衛は泰正の気がすむまで好きにさせてくれた。しばらくするとようやく落ち着き、泰正は手を放した。

以前、泰正は同性から執拗《しつよう》に迫られたことがある。泰正の外見が実年齢より幼いせいか、どうもある種の嗜好を持つ男性に好かれる傾向があるようだ。おまけにそういった手合いに泰正はまともに口がきけなくなる。以前かなり揉めたことがあるのだ。幸いにもあの時は大事に至る前に相手がいなくなってくれた。

「はああー。もう大丈夫。俺、添木といるとどこか壊れちゃうんだ。時々畑にも来るし、すごい嫌なんだ……」

いつもの調子をとり戻して、泰正は衛から離れると両手を振り回した。衛は安心したように口元を弛める。

「兄さん、兄さんがいつも通りなら皆、変な気は起こさないだろうけど、黙っていると可愛いんだから気をつけてくれよ」

衛に説教され、泰正は少し考え、照れて笑った。

「お兄様が可愛いなんて……、本当のことだけど、キモいぞ衛！」

照れ隠しで笑い飛ばすと、衛が頬を引き攣らせる。

「しゃべらなければ……だよ！」

念を押すように言うなんて、そんなに自分のしゃべりはイケてないのか。

気分を直して消防署に顔を出すと、穣が消防服を着て訓練に励むところに出くわした。消防署の連中も一緒だが、皆顔見知りなので泰正と衛を見て笑顔で挨拶してくれる。

「久しぶりだなぁ、衛。この前帰ってきた時は、顔も出さないで、こいつは」

隊長の島田《しまだ》が陽気な笑顔を見せる。この辺りは子どもの数が少ないのもあって歳が違ってもほとんど顔見知りだ。島田は小、中学校の先輩で、一年中日焼けしている。毎日鍛えているのでがっしりした身体つきだ。二年前まで県庁近くの消防署に配属されていたが、最近になって隣町の消防署に戻ってきた。

「先輩も変わりませんね、元気そうでよかった。それよりちょっとお話が」

衛が島田を手招いて隅っこで話している間、泰正は穣や他の隊員と他愛もない世間話に花を咲かせていた。すると小さな子どもが坂道を駆けてくる。よく見ると平助の孫の陸《りく》だ。

「しょぼしさーん、うちのラッキーをさがしてぇ」

陸は五歳になったばかりの男の子だ。たどたどしい言葉遣いで消防隊員の足にしがみつく。皆が驚いて目を向けると、陸が必死に飼っている犬の話を始めた。

「ラッキーが山できえちゃったよぉ、よんでももどらないし、まいごになってるよぉ」

どうやら飼い犬の柴犬《しばいぬ》のラッキーが山ではぐれてしまったようだ。隊員が困っていたので、泰正は胸を叩いて二人の間に割り込んだ。

「陸、俺が行ってやるぞ。山なら得意だし」

陸とは知らぬ仲ではないし、ラッキーとは遊んだこともある。いつ緊急連絡が入って出動命令が下るか分からない消防隊員に捜索させるよりは自分が行ったほうがいいと思ったのだ。

「ほんと？　たいせー、おねがい」

陸は涙に濡れた顔で泰正を見上げる。

「そうだな、今のところ平和だし、それじゃ穣も手伝ってやれ」

隊長の島田が穣に向かって顎《あご》をしゃくる。

「はい。分かりました」

穣が笑顔で答える。

「俺も手伝うよ」

乗りかかった船、ということで衛も一緒に犬探しを手伝ってくれることになった。オレンジ色のつなぎを着た穣が四駆の運転席に乗り込んで泰正たちに乗れと促す。五歳の子どもを山に連れていくわけにはいかないので、陸は途中で平助の家に帰した。平助の家では陸の母親は長男の太郎の看病をしていて、陸がラッキーの散歩に出ていたのに気づいていなかった。穣から事情を聞き、びっくりして陸を叱っている。陸も幼いながらに家の手伝いをしようと思ったのだろうが、五歳の子どもでは柴犬の力を制御しきれずリードを放してしまったようだ。

「ラッキーの好きなおもちゃとかエサはありますか？」

穣は手際よく陸の母親から犬を呼び寄せるアイテムを受けとっている。話している間に平助が顔を出し、自分の家の犬がいなくなったのを知り驚いた。

「わしも行くぞぉ」

平助も加わって四人で四駆に乗って山に向かうことになった。

車の運転をする穣を後部座席から眺め、やはり運転免許を持っているのはいいなと泰正は羨《うらや》ましがった。泰正も教習所に通ったことはあるのだが、筆記試験の間、静かに座っていることができなかった。途中でガタガタ机を揺らし始めて、試験妨害とみなされて試験会場から追い出されたのだ。君に試験は無理だと講師に諭されて仕方なく諦《あきら》めた。

「そういや太郎、どうなんだ？」

舗装されていない道路に揺られ、佐智子から聞いて気になっていた太郎の具合を聞いた。平助の孫の太郎はこの間から咳がひどくなり、起き上がることさえ困難になっているという。大きな病院に連れていって検査したが原因は分からず、とりあえず様子を見ているらしい。風邪というには熱もないし、ウイルスというには家族には移っていなくて、医師も困惑しているそうだ。

「太郎はラッキーを可愛がっておったんじゃ。いなくなったと知れば悲しむに違いない」

平助は病気の孫を心配している。これは絶対に見つけて帰らなければならない。

四駆は勾配のあるでこぼこの道を進む。陸の話では二鬼山《ふたおにやま》にラッキーが走っていったという。村境にある二鬼山はそれほど高い山ではないが、ほとんど人の手が入っていないため、木々も伐採されておらず素人《しろうと》が入ると迷いやすい。山の持ち主は山向こうの鬼沢村の住人で、山に手が入るのを嫌っているという評判だ。県から土砂崩れや山火事が起きては大変だからと伐採要請を何度か受けたにも拘《かかわ》らず、未だに手つかずだ。

「道沿いに探してみるか」

穣を先頭にして雪が残った山道を歩きだした。鬼沢村に通じる山道はあるのだが、何十年も前におざなりに造られたもので、雪が降ったりすると非常に歩きづらかった。けれど雪が降った利点もあった。

「これ犬の足跡じゃないか?」

雪道を見て、衛が指を差した。確かに犬の足跡らしき小さな跡が点々と残っていた。これならすぐに見つけられるだろうと安堵し、ラッキーの名前を呼びながら四人で山道を歩く。

「けっこう山奥まで行っているな……。このままじゃ鬼沢村に着きそうだ」

ラッキーの足跡を追いながら歩くこと二時間、衛が額の汗を拭《ぬぐ》って呟いた。ラッキーは村に戻るどころかどんどん奥へと向かったらしい。こんなことならおやつを持ってくればよかったと後悔しながら、泰正は険しい山道を登った。ラッキーは頂上へは行かず、鬼沢村に通じる道を進んでいる。

「日が高いうちに急いで探さないと、夜の山は危険だ」

穣が時計と天候を気にしながら道祖神が置かれた湧水の傍で休憩する。平助は歳のせいか、二時間歩きづめでぐったりしている。顔色も悪く、このまま引き返そうかと穣と衛が相談するのを横で聞きながら、泰正はラッキーの足跡を目で追った。

「それにしても泰正の体力は底なしだな。疲れるどころかさっきより元気に見えるぞ」

泰正があちこちうろうろしていると、穣が感心したように言った。泰正は山にいると元気百倍だ。疲れ知らずだし、暗くなっても雨が降っても怖いと思ったことは一度もない。

「やっぱりお前は山神の子なんだなぁ……山で消えたくらいだし。おっと、ごめん。これ言うと衛が怒るんだった」

うっかり口を滑らせた穣が口をつぐむ。横から衛がじろりと睨んだからだろう。

泰正は幼い頃、山で失踪したことがある。一年ほど経って山で見つかったらしい。父母から何度かその話は聞いていたが、泰正はあまり覚えていない。ただ子どもの頃、山で飽きることなく遊んでいた記憶はぼんやりとある。その話を衛にすると、それは俺と一緒に山で遊んだ記憶だろ、と言われる。一緒に遊んだ相手は衛ではなかったような気がするのだが、この話をすると家族が悲しそうな顔になるので黙っている。

泰正は山の話はあまりしない。してはいけないと、家族が言うから。

「足跡消えちゃったな」

湧水を飲んだ場所から十分も歩くと、ラッキーの足跡が見当たらなくなってきた。平助は足を滑らせる回数が増えてきたし、捜索は厳しくなってきた。おまけに道が二股に分かれている場所に出た。片方の道は柵で封鎖されて通行止めになっているが、犬にはそんなもの関係ない。

「暗くなってきたな。平助さんも疲れているし、道が分かれているし、今日の捜索は終わりにしよう。

明日また出直したほうがいい」

穣が寂しげな鳥の鳴き声につられるように空を見上げて、帰ることを提案してきた。時刻はまだ三時だが、冬なので暗くなるのが早い。風に揺れる木々の葉の隙間から暮れかかる空が覗いている。帰りに費やされる時間を考えれば、穣の言う捜索中止も納得できる。けれど泰正はぶんぶんと首を振った。

「この先のどこかにラッキーがいるのに諦めんのかよ！　こっちの道は俺が行くよ。俺、ちょっとひとっ走りして捕まえてくるからさぁ。穣たちは右の道を行けば村に戻れるから」

山に関しては自信のある泰正は、二つのルートを示して言い返した。右の道は迂回して神谷村に戻る道で、左の道は鬼沢村に続く道だ。穣は気が進まないようだったが、泰正が村の消防団に所属しているのもあって、結果的には二手に分かれることになった。

「それじゃ俺は平助さんと右のルートから行くよ。携帯電話繋《つな》がるかな……。見つかっても見つからなくても、一時間したら村に戻ろう。最悪連絡がつかなかったら消防署で待ち合わせだ。鬼沢村に行っても、しょうがないし……」

穣が消防隊員の顔で泰正たちに指示する。山を越えた先にある鬼沢村は過疎化が進んでいて、役場もなければ駐在所もない。鬼沢村の主な公共機関はほとんど隣町にあるという。

「もし危険を感じたら、引き返すようにするよ」

隣から衛が穣を安心させるように言う。穣も衛の言葉だと信じられるのか、頷くと平助と右のルートを行くことにした。平助の疲労を見て、判断したのだろう。泰正たちは手を振り、左のルートを進んだ。

「ラッキー、おーいどこだー」

勾配のある道をラッキーの名前を呼びながら歩いた。泰正は辺りをきょろきょろしつつ歩いていたのだが、衛は少しずつ歩みがのろくなっている。都会暮らしは体力を低下させるのだ。

「衛だらしないなぁ。お兄様を見習えよ」

ひひひと笑って泰正が山道を飛び跳ねていると、衛が嫌そうに顔を背ける。

「兄さんがおかしいんだよ。俺はふつうだ。……ちょっと休憩させてくれ」

「さっきもしたじゃん。もーだらしねーな。俺、先行ってるからあとから来いよ。お前遅いから待ってられない」

両手をぶんぶん振り回し、泰正が走る体勢になる。

「えっ、ちょっと待って、兄さん！」

休憩したがる衛を置き去りにして、泰正は山道を走りだした。飛行機になった気分で下り坂を全力疾走していると、上から衛が怒った声で「兄さん！」と叫ぶ。体力のない弟のためにも、ここはひとつ兄の自分が華麗にラッキーを捜しだし威張ってやろうと思った。

あっという間に衛から遠ざかり、声も聞こえなくなる。今まで皆と歩調を合わせていたのでひどく歩きづらかった。泰正は自由に木々の間を駆け抜ける。斜面は雪と枯れ葉で足を滑らせやすかったが、泰正にしてみればたいした障害ではない。

どこからか犬の遠吠《とおぼ》えが聞こえる。きっとラッキーだ。

速度を上げて山道を駆けていると、右手に祠《ほこら》が見えた。石を積んだだけの土台の上に小さな祠がある。誰に聞いたか忘れたが、山神を祀《まつ》っているのだ。泰正は手を合わせて山神に挨拶すると、道を進んだ。

上ったり下ったりを繰り返していくうちに、やがてなだらかな場所に行きついた。いつの間にか鬼沢村に入ったらしい。再び板でできた封鎖の柵に行きつく。隙間を通り抜けたとたん、ふっと見覚えのある花畑が視界に入って、泰正はどきりとして立ち止まった。鬼沢村の近くには特別な花が咲いていて、昔から近寄ってはいけない場所だと教えられていた。一月の今は雑草しか見えないが、三月になると赤い花で辺り一面が色づく。変な匂いはしないことを確認して、泰正は柵で囲われた花畑を横目で眺めつつ歩いた。鬼喰《おにく》い草《そう》、と言ったか。このルートが封鎖されているのは鬼喰い草の花畑を隠すためのものかもしれない。

（あ……。なんか、今日キそうだな……）

花畑から遠ざかりながら、泰正はくらりと目眩《めまい》を感じて額に手を当てた。

葉を落とした木が陰鬱《いんうつ》に並ぶ道を歩くうちに、辺りが静まり返っているのに気づいた。すでに日は落ちかけていて、厚い雲が頭上を覆っている。こちらはあまり雪が降らなかったらしい。地面は湿っているが雪はちらほらとしかない。

道ともいえない道を歩いていくうちに、ぽっかりと空間が広がっている場所に出た。

沼だ。湿った空気はここからきているのだろう。沼の周囲には板でできた細い道があり、泰正が歩くたびにぎしりぎしりと音を立てる。

沼の水は深い碧《みどり》で、水草が揺れていて底が見えるようで見えない。水面は時間が止まったように静止していて、生き物の気配がまるでない。水草を見つめていた泰正は、突然大きく身体を動かした。

アレが、やってくる気配だ。

ぶつりと頭の回線が途切れたのが分かった。

――スイッチが切れた合図だった。


目を開けると板でできた道に倒れている自分が見えた。時々こんなふうに泰正は肉体から分離する。前にテレビで幽体離脱した人の話をやっていて、似てるなぁと思った。

倒れた自分の肉体をその場に置き去りにして、泰正はふらふらと歩きだした。自分の肉体と離れてしまう時は、いつも景色が少し違って見える。場所は同じはずなのに、すべてのものがぼんやりしていて境界線がはっきりしないのだ。アニメの画面が急に水彩に変わるような感じだ。

泰正は鬼喰い沼と呼ばれる沼の周囲に置かれた板の道を進んだ。どこからか犬の鳴き声がして目を凝《こ》らすと、白い柴犬が子どもと一緒にいるのが見えた。

「ラッキー!!」

白い柴犬は泰正の呼びかけに応えてワンと吠え、尻尾《しっぽ》をふりふりして駆け寄ってきた。ラッキーの毛並は柴犬には珍しい白で、耳だけが茶色い。

「捜してたんだぞ、お前」

　泰正はラッキーの身体を撫でながら隣の子どもに顔を向けた。子どもは青い縞《しま》の着物を着ている。これまでにも何度か会ったことがある。初めて会ったのは泰正が子どもの頃だ。その時からずっと同じ着物を着ているので、これしか持っていないのかもしれない。

「べーやん。ラッキーを見つけてくれたんか？　ありがとなー」

　泰正が礼を言うと、べーやんと呼ばれた子どもはこくりと頷いた。姿かたちは子どもだが、顔が大きく違う。のっぺりした顔には目が一つしかない。一つしかないからか、とても大きい目をしている。たまに舌をべーと出すので、泰正はべーやんと呼んでいる。無口だがとても優しいので、泰正はべーやんが好きだ。

「病気の子、助けたくて山に来たー」

　ラッキーを指差してべーやんが教えてくれる。べーやんは鈴の音を転がすような可愛らしい声をしている。ラッキーは飼い主である太郎が病気なのを心配して、山神に治してもらいに来たようだ。ラッキーはクーンと悲しげな声で鳴き、泰正の足にすり寄る。

「あっち、待ってるー」

　べーやんが来た道を指差す。誰かが待っているというので、泰正はラッキーと一緒にべーやんの後ろをついていった。板の道が泰正とラッキーの重みでギシギシいっている。ラッキーはいつものように舌を出して歩いている。あの舌はしまえないのだろうか？

「諭吉《ゆきち》」

鬼喰い沼をぐるりと回った先に、もう一人の友達が待っていた。ひょろりとした背の高い男で、サングラスをかけてアフロヘアに口ひげをはやしているところまではいいのだが、似合わない真っ白な着物を着ている。時々アフロヘアから一万円札をとり出すので、泰正は諭吉と呼んでいる。あの頭の中にはたまに変なものが埋め込まれているのだ。

「泰正、久しぶりだな。麻雀《マージャン》しよう。今日はナマカがいなくてな」

諭吉は泰正を見るなり手招きして大木の根元へ誘う。諭吉は麻雀が大好きで、泰正をよく誘う。そこには座卓が用意され、見覚えのない大男が一人座っていた。見覚えがないのは当然だ。大男には頭がなかった。

「さっき会ったんだ。首なしと呼んでいる」

諭吉が卓の前に座っている頭のない男を紹介する。頭のない男は上体を傾けて、ぺこりと礼をしたようだ。穣もがっしりしているが、この男はプロレスラーかと聞きたくなるほど立派な上腕二頭筋をしている。泰正は促されるまま諭吉の向かいに座る。ベーやんが首なし男の向かいに座ったので、卓上に置かれた牌《パイ》を皆で掻き混ぜた。首なしは目がないので、手探りで牌を動かしている。ラッキーは泰正の横で伏せの体勢で目を閉じた。

「お前頭どこやったんだ?」

泰正が牌を並べながら気になって聞くと、首なし男はしょんぼりした様子で手を振り回した。口がないのでしゃべれないらしい。代わりに諭吉が通訳してくれる。

「みつからなくて困っているそうだ。山のどこかに埋まっているらしい。近くの木に三本の横線を入れたはずだが、似た木が多くて分からないって」

諭吉は牌を並べ替えながら首なし男の言い分を説明する。ベーやんは牌を見てにまーっと笑う。いい手がきたようだ。泰正の手はひどいものだった。

諭吉が親になり、勝負が始まった。泰正は麻雀は好きだが得意ではない。諭吉は捨て牌を見れば大体何を狙っているか分かるという。今日も諭吉に押され、リーチもかけられず、上がるとしても安い役でしか勝てない。諭吉はアフロヘアに牌を隠し持っていて、時々いかさまをするから気をつけなければいけないのだが、今日はそれに構っていられないほど首なしが強くて、泰正の一人負け状態だった。

「ツモったーっ!! タンピン三色、ドラ3!」

諭吉がツモで上がった牌を見せて万歳三唱する。後半追い上げた諭吉が逆転するかと思いきや、最終的に勝ったのは首なし男だった。

「すげぇ負けちったな……。くそお!」

牌を卓に投げつけて泰正が悔しさを露《あらわ》にする。首なし男は嬉しそうに身体を揺らし、隣の諭吉に寄っていく。

「ふんふん。泰正、負けたお前は首なし男に対価を払えって」

諭吉に言われて泰正はハッとして目を見開いた。今日は財布を持ってきていない。

「財布忘れた。ツケにしてくれ」

泰正が手を合わせて拝むと、また首なし男が諭吉に身体を寄せて何か伝えている。諭吉はアフロへアを手で探りながら、中から一枚の和紙をとり出した。和紙に染《し》みが浮き出るように文字が浮き出てくる。どうやら証文が作られているらしい。

「ツケは駄目だって。代わりに首を探してくれってこいつは言っている。もし見つけられなかったら……お前の首を代わりに持っていくって」

「えええええーっ」

びっくりして飛び上がると、横に伏せていたラッキーがワンワンと怒ったように首なし男に吠える。首なし男は身体をくねらせながらラッキーから逃れようとする。犬が苦手らしい。マッチョな首なし男が犬を怖がる姿はちょっと可愛い。

「お前の身体に俺の首は似合わないだろ！　そんなマッチョな身体して、俺様のような可愛い顔をほしがるとはアンバランスにもほどがあるぞっ。身の程を知れっ、このうつけ者がっ」

ラッキーの勢いを借りて泰正は大声で首なし男を怒鳴りつけた。首なし男は必死に大きな身体を縮めながら首を振る。

「そう言わずにお願いしますと言っている。あ、それよりも泰正」

ふと気づいたように論吉が立ち上がって、拳《こぶし》を振り回す泰正を見上げた。

「――――そろそろ戻らないと、お前死んじゃうぞ」

耳元でがなりたてる大声に導かれるように、泰正はパッと目を開けた。

気づいたら衛が自分を抱えて間近から覗き込んでいて、その頭越しに暮れかけた空が見える。衛は険しい形相で泰正の名前を呼んでいた。顔は青ざめ、今にも泣きだしそうだ。どうしたんだ、お前。そう言いかけて泰正は自分の頭がぐっしょり濡れている上に口の中に泥水が入っているのに気づいた。

「おえ……っ、げほ……っ、ごほ……っ」

咳き込みながら口の中の泥水を吐き出した。泰正は細い板の上に身体を横たえていて、上半身はねっとりとした水で濡れている。枯れ葉や水草が濡れた衣服についていて、どうやら沼に落ちたのだと見当がついた。

「兄さん……っ、兄さん、よかった……っ、よかった……っ」

衛が震えるような息をこぼして泰正を抱きしめる。身体がやけに疲れているのは、スイッチが切れたせいだろう。

「こんな場所で発作が起きるなんて……。兄さん、もう少しで沼に沈むところだったんだよ。俺が着いた時は、頭から沈みかけていた。もう少し遅かったら溺れていたよ」

衛が強張った顔で状況を説明してくれる。泰正は時々身体の機能が停止してしまう。医師は原因不明の発作だという。その間は意識を失い呼吸も浅くなるので、家族からは注意するように言われている。

「うー。口の中が気持ち悪い。今諭吉とべーやんと麻雀やってたんだ」

口の中に入った沼の水に気持ち悪さを感じながら、泰正は衛に先ほどまでしていたことの説明をしようとした。

「兄さん……」

向こうの世界の話をすると衛はいつも悲しげな顔になり、まともに話を聞いてくれない。きっと泰正が混乱していると思っているのだろう。首なし男の話をしようと思って口を開けた泰正は、衛の後ろからラッキーが見えたので目を輝かせた。

「ラッキー」

ラッキーはハッハッと息をしながら泰正のもとに駆けつけて、手を舐めてくる。衛はとりあってくれないが、ラッキーは分かっているといわんばかりのつぶらな瞳で泰正を見ている。

「兄さん立てる？　捜していた犬もみつかったし、ひとまず鬼沢村へ行こう。この寒空に上半身ずぶ濡れじゃ、さすがの兄さんも風邪をひくだろ。どこかでタオルとか借りられるかな……」

泰正の身体を助け起こしながら衛が暮れかかる空を見上げた。

「うーん、気持ち悪いぞ……。っくしゅ」

寒さには強い泰正だが、水に濡れたのは応えた。くしゃみが出てきてぶるりと背筋を震わせる。

「調子に乗って先を急ぐからだよ。兄さん、持病があるんだからくれぐれも気をつけてよね。俺がいたからいいようなものの、もしいなかったら今頃兄さんは……、大体兄さんには危機感というものがないんだ」

泰正に肩を貸して歩きつつ、衛は説教を始める。衛の説教は長いので面倒くさい。適当に返事すると怒るし、この調子では自宅に帰ってからも懇々とお小言が続くに違いない。

（参ったなぁ。今日は嫌いな添木には会うし、麻雀では負けるし、ついてねーや）

ぐったりして衛に体重をかける。泰正は「もう歩けん。おぶってくれぇ」と情けない声を出した。それまで泰正を責める言葉を吐き続けていた衛がサッと顔を遠ざけるようなしぐさをした。不思議に思って間近から衛の顔を見ると、動揺したように目を逸らされる。

「……歩けるだろ、もうちょっとがんばって」

衛はひたすら前方を見てそっけなく告げる。さっきまで死ぬかもと騒いでいたくせに、なんて薄情な奴だ。こっちは疲労困憊《ひろうこんぱい》で今にも倒れそうな上に、寒くて風邪をひきそうなのに。

「歩けないからおぶってくれよぉ。おぶってくれなきゃ動かないぞ、ケチ、ケチ、衛のケチーっ」

山にいた時は露ほども感じなかった疲れを、里に下りてきたとたん感じていた。泰正はもう一歩も歩けないとばかりに衛にしがみついて騒ぎ立てた。何度もくしゃみをしたせいか、仕方なさそうにため息をこぼした衛が背中を向けてしゃがみ込んだ。

「やったぁ」

衛の背中に飛び乗り、安心して身体を預ける。衛の背中は広くて身長も高いから背負われると見晴らしがよくていい。下から見上げてくるラッキーに「羨ましいだろ」と声をかけて衛の首に腕を巻きつける。

「兄さんの身体、冷たいな……」

衛が歩きながら呟く。逆に衛の身体はずいぶん熱い。それに耳朶《みみたぶ》が真っ赤だ。衛は泰正より肌が白いので、赤く色づいた耳朶が熟《う》れたざくろみたいで思わず食いついてしまった。

「ぎゃっ」

突然地面に落とされて、泰正は尻餅をついて悲鳴を上げた。いきなりだったのでまともに尻を打ってしまい、痛くてさする。衛は耳朶を押さえて真っ赤な顔で泰正を見下ろしている。

「何するんだ、兄さん」

ひどく怒った様子で衛に睨まれ、泰正はびくりとして身をすくめた。

「何って、え、何が……。なんだよぉ、そんな怒ることかよ。ちょっと耳を噛んだだけじゃん……」

真剣に怒っている衛に恐れをなして、泰正は目を泳がせた。耳を噛んだくらいでそれほど怒るとは思わなかった。うちの弟は心が狭い。

「……そういうの、よしてくれ。もう子どもじゃないんだから」

忌々しげに衛が吐き捨てる。そんなに嫌がられるとは思わなかったので泰正はショックを受けた。衛は眼鏡を外してハンカチで汚れを拭《ふ》きとり、気分を変えるように深呼吸をすると、無言で再び泰正に背中を向けた。もう背負ってくれないかと思ったが、そんなことはないらしい。疲れていたので、泰正は素直にその背中に乗った。

衛は時々こんなふうに訳の分からない理由で怒る。泰正にとってはたいしたことじゃなくても、衛にとっては違うみたいだ。小さい頃は平気だったのに、最近衛は触れると怒るようになった。ラッキーが泰正たちの不穏な空気を察して周囲をうろうろしている。衛が再び泰正を背負って歩きだすと、安心したようについてきた。

泰正は謝ろうかと思ったが何が悪かったのか分からなくて、言葉が出てこなかった。くっついている衛の心音が背中越しに響いてくる。テンポが速い気がして泰正は気になった。山歩きをして疲労している衛におんぶをねだったのは酷だったかもしれない。

鬼沢村に着くまで、泰正は衛の機嫌が気になって何度も顔を覗き込んだが、ずっと無視された。


鬼沢村は噂通りゴーストタウンと化していた。

道の途中にあったかつて小学校だったらしき建物は、半ば崩れてカラスの不気味な巣と化している。まだ五時前だったが、冬のせいか辺りは真っ暗になり、風の音と人の気配がないのも相まって、昔、衛がやっていたゲームに出てくるゾンビの出る村みたいだった。

「衛ー、こええよ、ここ……。ゾンビが出てくるぞ」

鬼喰い沼に落ちたせいだけではなく寒気がしてきて、泰正は衛の首にしがみついた。一緒に歩いているラッキーの存在が力強い。柴犬は熊《くま》にも怯《ひる》まないくらい強いのだから、ゾンビにも負けないに違いない。

「困ったな……。どこかでタオルでも借りたいけど、人が住んでいる気配がないね……」

衛は困ったように辺りを見渡す。家はあるがドアを叩いても返答がないし、網戸は破れ、辺りはしんとしている。道路は舗装されていないし、庭の木々や雑草がなんの手入れもされず伸び放題荒れ放題だ。

「鬼沢村に来たのは間違いだったな。あのまま無理にでも神谷村へ引き返せばよかった」

後悔している様子で衛が呟く。衛は責任感が強いので、自分の判断が間違っていたと落ち込んでいるようだ。

「疲れたろうからちょっと休めよ。俺、もう歩けるし」

寒さは感じていたが疲れはだいぶとれたと思い、泰正は衛の背中から下りる。けれどくしゃみがひとつ出て、だるさを感じて地面に座り込んだ。

「大丈夫？　兄さん」

衛が携帯電話をとり出して心配そうに聞く。

「大丈夫だぞー」

寒くて身体が震えるが心配させたくなくて、泰正は強がった。衛は携帯電話で穣と連絡をとっている。圏外だったらどうしようかと思ったが、電話はちゃんと繋がった。

「ラッキーは見つかったけど、兄さんが沼に落ちちゃって濡《ぬ》れ鼠《ねずみ》なんだ。どこか服を乾かしてくれる知り合いとかいないかな。……うん、分かった、ああ、待ってる」

衛がホッとした顔で頷きながら電話を切る。十分くらい経つと再び衛の携帯電話が鳴った。

「あ、ホント？　うん、磯貝《いそがい》さんだね、分かった。小学校前で待ってる」

衛が穣と会話している間、泰正はラッキーで暖をとっていた。ラッキーは泰正が抱きつくと、遠くを向いてじっとしている。いつもならペロペロと顔を舐めてくれるのに、今日はそっけない。

電話を切った衛は、憂いがはれたように笑った。

「村役場で働いている穣の知り合いが近くに住んでるから助けてくれるって。風呂も借してくれるって。沼に落ちたせいか、兄さん臭いし」

今頃衝撃の事実を突きつけられ、泰正は凍りついた。自分は臭かったのか……。それで衛とラッキーは自分と顔を合わせようとしなかったということか。ショックを受けてラッキーを見ると、あうーんと申し訳なさそうな上目遣いをされた。

衛と一緒に先ほど通った廃校に向かった。何度見ても不気味だ。小学校の名前が入った木のネームプレートは虫食いだらけではないか。くしゃみを連発して待っていると、ほどなくして白い車がやってきた。中から優しそうな雰囲気の中年女性が顔を出す。

「三門さん？　磯貝の妻です。沼に落ちたって聞いたけど、大丈夫？」

磯貝の妻の茜《あかね》と名乗った中年女性は気さくに話しかけてくると、泰正たちを車に乗せてくれた。ラッキーは衛が膝に抱き、おとなしくさせる。ラッキーは車に乗るのに慣れていて、衛の膝の上にでんと頭を乗っけた。

茜は旦那に頼まれたと笑い、泰正たちを自宅に連れ帰って世話してくれた。泰正が濡れた服を脱ぎ、温かい風呂に入っている間、衛は家に連絡を入れたようだ。ゾンビがいる村かと思ったが、茜のような普通の女性がいるならその心配はないだろう。

「さっぱりしたぁー。あざーす」

風呂から出て借りた衣服を着て居間に顔を出した。着替えに用意してくれた服はジャージだった。

泰正が深く頭を下げると、茜は台所から鍋を持ってきてからからと笑う。

「息子の中学時代の服なんだけど、ぴったりねぇ。どうせだから夕飯食べていきなさいな。あとで車で神谷村まで送るわ」

茜はまるで以前からの知人みたいにもてなしてくれた。衛は夕食の手伝いをしていたらしく、似合わないエプロンをして皿を運んでいる。家に上げてもらったラッキーはテーブルの下で寝そべっている。夕食をふるまってくれるというのを断るような泰正ではない。嬉々として手伝いを申し出た。

「息子さんは独立しているんですか？」

鍋を囲みながら衛が尋ねると、茜は自慢げに写真を見せてくれた。

「二人とも東京で暮らしているの。上の子は俳優なのよ、下の子は専門学校に通っていてね」

茜の見せた写真を覗き込み、衛がびっくりして泰正の肩を叩く。

「あれ、この人けっこう有名ですよね。ほら兄さん、この人さ……」

衛が興奮した様子で写真を指差すが、泰正は見覚えがなくて首をかしげた。俳優というからドラマに出てくる人なのだろうが、まったく分からない。だけど顔はかなりいい。

「俺は時代劇しか見ないから分からないぞ……」

春菊を箸で寄せながら、泰正は首を振る。今時の若者の恋愛ドラマにまったく興味がない泰正は、時代劇か天気予報しか見ない。そもそもテレビの前でじっとしているのが苦手だ。時代劇は興奮するほど面白くて欠かさず見ているが。

「すみません、兄はちょっとずれているんです」

目を丸くしている茜に申し訳なさそうに衛が謝っている。その後は衛と茜が楽しげに会話しているのを聞きながら、泰正はひたすら鍋の具をつついていた。途中で「少しは遠慮して、兄さん！」と衛に怒られたが、動きだした箸は止まらない。

途中で茜の夫が帰ってきて、四人で鍋を囲みながらわいわいと食事をした。泰正は食べ終わると眠気を覚えてラッキーの隣で横になってしまい、気づいた時には車の後部席で揺られていた。

「兄さん、恥ずかしいよ。ちょっとは気を遣って」

まったく記憶はないのだが、いびきをかいて寝てしまった泰正を、食事を終えた茜の夫と衛が車に運び、神谷村まで送ってくれたらしい。自宅の前で磯貝に礼を言って別れると、泰正たちはそのままラッキーを連れて平助の家に向かった。

「おお、ラッキー。無事でよかった」

平助はラッキーを見ると駆け寄って全身で喜びを表した。病床の太郎がラッキーの声がしないと不安がっていたようだ。陸と母親も出てきて泰正たちに何度も頭を下げて礼を言った。なかでも陸はかなり嬉しかったようで、泰正に秘蔵のレアシールをくれたほどだ。

「ラッキーは太郎の病気を治したくて山神にお願いしに行ったんだ」

べーやんに聞いた話を思い出して教えると、その場にいた皆がそれぞれ思うところがあったのか複雑そうな顔になって黙り込んだ。

「泰正が言うならそうなんじゃろ。山には山神様がおるからのー」

平助は古い人間なので、泰正の言ったことを素直に受けとってくれる。反対に衛はそういった話が嫌いで、頷く平助を見て嫌そうに首を振った。

「山神なんていない。空想の産物ですよ」

衛の頑《かたく》なな言い方に平助は目を丸くしている。陸の母親は「そんなふうに言わないほうがいいわよ」と衛を窘《たしな》める。陸の母親は目に見えないものの話はよく分からないが、罰が当たりそうなので否定するのはよくないという考え方のようだ。

衛はいつの頃からか山が嫌いになっていた。一緒に遊びに行こうと言っても、いつも嫌だと断られた。そのくせ泰正が一人で遊びに行こうとすると必ず後をついてきた。衛は見えないものの話を極端に嫌がり、泰正が向こうの世界の住人の話をしても、相槌《あいづち》を打ってくれたことは一度もない。衛にも視《み》えたらいいのにとは思うが、それはできないようだ。父や母にも話してみたが、一様に「他の人には話しては駄目よ」と言われるので、あまり歓迎されていない話だというのは分かった。

とにもかくにも一件落着したので、泰正たちは家に戻ることにした。

「それにしても鬼沢村は寂れていたな……」

しみじみとした口調で衛が呟く。神谷村は農業に適した土地があり、人口もそれなりにいる。電車も近くを通っているし、道路は舗装されて車もよく通る。一方、鬼沢村は老人しかいないといってもいいくらい、人が土地から離れていっている。山一つ隔てただけなのに、大きな違いだ。

「……今日は悪かったよ、兄さん」

すっかり暗くなった道を歩きながら、衛がぽつりとこぼした。

「ん？　どした？」

衛が謝るようなことがあっただろうかと首をかしげていると、前を向いたまま衛がため息を吐く。

眼鏡で衛の表情が分かりにくい。

「神谷村に戻ればよかったんだろうけど、もう一度あの道を通りたくなかったんだ……」

うつろな声で衛が呟く。あの道と言われて、もしかしてあの花畑だろうかとようやく泰正も思い当たった。衛と泰正は昔、あの花畑で変になったことがある。きっと今でもあの時のことを思い出すと苦しくなるのだろう。衛は意外とくよくよとする性格なので、兄としては元気づけなければいけない。

「どーんまい。にこっ」

衛の背中を叩いて、兄貴らしく元気づけたつもりが、振り返った衛の顔は引き攣っていた。

「兄さん、いらっとするから、そういうのやめてくれないかな……」

本気で苛ついた声を出され、泰正はぶるりと身体を震わせると急ぎ足で自宅へ戻った。

首なし

Kubinashi

自宅に戻った泰正《たいせい》はいつも通り早めに布団に入った。翌日はみかんの詰まった段ボール箱を軽トラに載せ、父の運転で衛《まもる》と一緒に磯貝《いそがい》家にお礼に行った。

その後、軽トラで空港に向かい、東京へ戻る衛を見送る。衛は「兄さん、他人《ひと》に迷惑かけないようにするんだよ」と毎回必ず口にする決まり文句を、時間ぎりぎりまで泰正に向かって繰り返す。衛に東京に帰ってほしくはないが、毎回この時だけはさっさと飛行機に乗ってくれと思う。

衛が東京に戻ると、泰正の家は正月気分も抜けて通常運転だ。

温室栽培のみかんは花をつけ始め、順調に育っている。虫をとったり小ぶりなみかんに紙の袋を被せたりみかんの手入れに勤《いそ》しむ傍《かたわ》ら、何か忘れている気はしていたのだが、思い出せないまま日が過ぎた。二月に入って綾部《あやべ》の家の十歳になる嵐《あらし》が病気になったと聞いて、二鬼山《ふたおにやま》での出来事を思い出した。

「なんでも平助《へいすけ》さんとこの太郎《たろう》君みたいに原因不明の咳が続いてるんですって。流行病《はやりやまい》かしら？インフルエンザとかじゃないわよね」

母が心配そうに話す。先月中旬から父は親戚の苺農園《いちごのうえん》の手伝いに行っている。時々帰ってくるが、二月末くらいまでは親戚の家で暮らす。父がいない間はみかん畑は泰正と母の二人で管理している。本来なら祖父がそろそろ旅行から戻ってくるはずなのだが、ハワイが性に合うとかで長逗留している。

「嵐まで病気かよ……。なんだろうな?」

太郎と同じく嵐も泰正の友達だ。よく一緒に山へ遊びに行っては虫や山菜をとった。泰正の遊び友達二人が具合が悪いなんて、気にかかる。

(あれっ、そういえば俺なんか頼まれていたような?)

山で遊んだ記憶を蘇らせていくうちに、鬼喰《おにく》い沼《ぬま》の近くで麻雀《マージャン》をして負けて頼みごとをされたのを思い出した。日々の暮らしに追われてすっかり忘れていた。思い出したらいてもたってもいられなくなり、泰正は仕事をすっぽかして出かけたくなった。

「ただ今戻ったぞーい。アロハー」

折よく祖父の武蔵《むさし》が白い毛皮のコートを着て玄関の引き戸を開けた。武蔵は毛皮のコートの上にハワイでもらったらしき花の首飾りをつけている。サングラスをかけ真っ白な髪を後ろで縛っている武蔵は、小柄だが剣の達人として近隣ではよく知られている。今年七十歳になるのに毎日元気に遊び歩くちょっと変わった老人で、周囲の皆は「泰正はじいちゃん似だ」と口を揃えて言う。

「じいちゃん、お帰り。ちょうどよかった。俺、今から山に行くから代わりに畑に行ってくれよ」

スーツケースを居間に広げて土産をとり出す武蔵に泰正が言うと、サングラスを外した武蔵が細い目をくわっと見開いた。

「馬鹿もんが! 帰国したばかりで疲れておるわしをねぎらうどころか、こき使おうとは何事じゃっ」

アロハシャツを着た武蔵に一喝され、泰正は畳の上に正座させられた。武蔵は泰正の膝の上にスーツケースを載せて、さらにその上に自分の体重もかけてくる。

「うらうら、盗人宿《ぬすっとやど》を吐けぇい」

「お許しくだせぇえー、おらは何にも知らねぇだー」

いつものように時代劇ごっこをしていると、お茶を淹《い》れた母が呆れたように窘《たしな》めてくる。

「泰正、おじいちゃん疲れてるんだから、無理言っちゃ駄目よ。山に行く気? 寒いからやめたら?」

母は窓を開けて外の冷たい空気をわざと中に入れる。泰正は突然倒れて死んだように動かなくなるという原因不明の持病持ちだが、しばらくするとけろっとして元に戻るので両親はあまり神経質になっていない。小さい頃から何度も倒れたが大事には至っていないので、この頃では倒れてもまたかと思う程度になっている。三門《みかど》家で一番うるさいのは衛で、倒れた日に一人で出かけようとすると心配してついてきたものだ。

「うーん、じゃあちょっとだけにしとく」

冷気を感じてぶるりと背筋を震わせ、泰正はちょっとだけと言って山に出かけた。母の止める声が聞こえたが、セーター一枚で冬の山に自転車で向かった。坂道を立《た》ち漕《こ》ぎで上り、もう限界というところで自転車を置いて徒歩で登り始める。

冬の二鬼山は草木が枯れて寂しげだが、雪はほとんど消えていたので歩きやすかった。登山道を逸れて泰正は闇雲に木々の間の斜面を登った。

（木に三本線だったかな……）

首なし男の話を思い出しながら手当たり次第に木々を見て回ったが、見つからない。あちこちうろつき右へ左へ斜面を上ったり下りたりして探したが、一向に目当ての木は見つからない。結局日が暮れるまで山の中をうろついたものの、三本線の入った木を見つけることはできなかった。腹が減ったので山を下りて、途中に置いておいた自転車に跨《また》がって自宅に戻る。どんな山奥に迷い込もうとちゃんと元の道に戻れるのは泰正の特技だ。二鬼山のことで知らないことなどほとんどない。

帰宅すると母が泰正の好きなハンバーグを作って待っていてくれた。武蔵は老人なのに肉を好み、泰正がゆっくり食べていると横からハンバーグをかっさらっていく。武蔵と箸で攻防を繰り広げながら、泰正は気になっていた質問をした。

「じいちゃん、しばらく家でおとなしくしてんの？」

武蔵は味噌汁《みそしる》のお代わりをして、うむと頷く。

「夏にメキシコに行く予定じゃが、それまではおるぞ」

旅行が好きな武蔵は最近ではいつお迎えが来るか分からないと言って、年に三回は海外に出かけている。夕食の間は武蔵のハワイでの武勇伝が延々続いた。祖母が五年前に亡くなってからずっと西へ東へ旅する武蔵は、本当は寂しいのだと母は言う。泰正はただの旅行好きだと思っている。

「来月はお前の誕生日じゃしなー。衛も戻ってくるんじゃろ？」

武蔵がカレンダーを見て笑った。泰正は三月三日のひな祭りの日に生まれた。今年のカレンダーは連休になっているから、衛も休みやすいはずだと安心していた。毎年、泰正の誕生日には必ず帰郷する衛は弟の鑑《かがみ》だ。

今年は何をねだろうか。泰正は誕生日がくるのが待ち遠しいと思いつつ箸を動かした。

翌日から再び泰正の首探しが始まった。山のあちこちを探し回り、木のてっぺんから根元までを見て回る。それにしてもどんな木の根元に埋めたかくらい教えてくれてもいいのに、これではヒントもなく、ひたすら動き回る以外ない。大体、二鬼山に木がどれだけ生えているか、あの首なし男は分かっているのだろうか。

みかんの木の剪定《せんてい》や草むしりをする傍ら、山を駆ける日々が続いた。山をうろつくようになって一週間も経つと、同じ村の友達がこぞって泰正と一緒に探し物をしてくれることになった。一番上が小学校六年生、下が小学校一年生という泰正の幼い友達たちだ。仰天活劇チョコレートのシールを集めているうちに知り合いになった子どもたちで、泰正が最近つき合いが悪いのは探し物をしているせいだと知って、手伝いを申し出てくれたのだ。とはいえ泰正一人なら山で迷わないが、子どもたちは分からない。考えた末、ロープを持ってきて各々握らせた。これなら迷わないと思ったのだが、木々の間を歩いているうちにぐるぐる巻きになって大混乱するという失態を犯した。

「泰正はアホやなー」

中でも一番年長の友一《ゆういち》に馬鹿にされ、ロープを持つのは諦《あきら》めて時々点呼をかけて安全を確認することにした。

山に入った、翌日。

昨日元気で騒いでいた友一が咳をするようになった。

「泰正、友一ちゃん、昨日は一緒に遊んでたんだって？　なにかおかしなことなかった？」

友一の母親から話を聞いた母が不安げに泰正に聞いてくる。特に何もなかったので、泰正は首を振るばかりだ。翌日からは仕方なく友一抜きで三本線の木を探していたが、今度は一緒にいた明《あきら》が咳き込むようになった。

「感染するのかしら？　泰正は大丈夫なの？」

村の母親たちは集まって、原因不明の咳をするようになった子どもたちの話をして顔を曇らせている。咳が続いている太郎は、県で一番大きな総合病院で詳しく検査しているそうだ。小さな子を山に連れていっては駄目と両親に叱られてから、泰正はまた一人で山を歩き回ることになった。

「どれ、わしがつき合ってやろうかの」

家でウクレレの練習をしていた武蔵が腰を上げ、泰正の探し物につき合ってくれることになった。

武蔵は昔から勘が鋭く、五年前にも「今日宝くじを買ったら当たる気がする」と言いだして本当に二千万円当ててしまった男だ。

「三本線が入っている木だよ、じいちゃん」

武蔵と一緒に山に入り、泰正は藁《わら》にもすがる思いで告げた。二月末には苺農園に働きに行っている父が戻ってくる。母と違い、父は泰正が一人で山に入ると怒る。その前に見つけだしたかった。

「わしに任せい」

武蔵は達者な足どりで山を登ると、L字形の長い針金を二本とり出した。そして針金を両手に持ち、訳の分からない呪文を唱えながら針金をぐるぐる回す。

「わしはこれで水脈を掘り当てた」

武蔵はそう言って針金が指し示す方向へと歩きだす。針金が何故水を見つけるのかまったく分からないし、そもそも水を探しているわけではないのだが、泰正は素直に武蔵の後をついていった。道なき道や藪《やぶ》をかき分け登っていくと、切り立った崖があり、針金ばかり見ていた武蔵はあやうく落ちそうになった。

「じいちゃん、危ない」

武蔵の身体を後ろから羽交《はが》い締《じ》めにして、崖下を覗く。崖下に何か赤っぽいものが見える。気になって覗き込むと、錆《さ》びたドラム缶のようだった。

「むう、この下っぽいんじゃがの」

「じいちゃん、木なんか生えてねぇぞ」

崖下には朽ちたドラム缶がいくつか転がっているだけで、木は生えていない。枯れ葉が地面を覆っていてよく見えないが、斜面には倒木があるようだ。

「おかしいのう」

武蔵は針金をぐるぐる回し、納得いかない様子だ。崖下に下りようとしたが、さすがに危険なのでその日は諦めて帰宅することにした。

家に戻ると明後日には父が帰宅するという。衛からも電話があり、有給が残っているから今年は早めに実家に顔を出すと言われる。父も衛も泰正が一人で山に行くのをよしとしない。早くどうにかしなければと泰正は焦りを覚えた。


翌日、泰正は早朝からリュックを担《かつ》ぎ、家を出た。

布団に入って考えているうちに、どうもあの崖下が気になって仕方がなくなってきたのだ。昨日武蔵と歩いた道を辿り、再び同じ場所に立つ。泰正はリュックからロープをとり出し、太い木の幹に縛りつけると、急斜面を下り始めた。山猿と言われる泰正も、ロープなしでこの高さの崖を下りて再び登る自信はない。ロープをしっかりと握りしめ、足場を探しながらひょいひょいと崖を下りていった。

崖下に着くと、崖の上から落っことされたのか、ぼろぼろに錆びて朽ちかけたドラム缶が三つバラバラに転がっていた。異臭はしないが、ドラム缶の周囲の草木が変色して生気がないのが気になった。中身はなんだろうと覗き込むが、蓋《ふた》が閉まっていて開けられない。しばらくがんばってみたが、蓋はがっちり閉まっていてびくともしなかった。

「なんか、ぼこぼこしてんだよなぁ……」

力が入らない理由の一つに地面がでこぼこなのがあった。枯れ葉で覆われた地面が、妙に軟らかく、スポンジの上を歩いているみたいなのだ。枯れ葉が何層にも降り積もって、不思議な感触になっているのかもしれない。

　泰正は首をひねりつつ別のルートがないか周囲を探索した。崖下はすり鉢状になっていて、上がるにはさっき下りた急な斜面を登る以外ないようだ。何も見つけられず諦めて崖を登ろうとした泰正は、突然何かに躓《つまず》いて引っくり返った。

「あっぶねーな……っ」

　枯れ葉を舞い散らせて起き上がった泰正は、自分が躓いたものを確認して目を見開いた。雷にでも打たれたのか、そこには裂けた倒木があった。その根元近くには三本線がえぐるようにつけられていたのだ。

「や、やったーっ」

　これが首なし男の言っていた木だと直感し、泰正は飛び上がって喜んだ。すぐさまリュックを下ろし、中から折り畳み式のシャベルをとり出す。どこを掘っていいかよく分からなかったので、適当に木の根元辺りの土を掘り返していった。

　掘ること二時間、軟らかい土の中を探っていたシャベルの先に何かが当たった。とり出してみるとボロボロの布と一緒に骨が出てくる。最初は目を輝かせたが、よく考えたら探してくれと言われたのは首だ。頭蓋骨《ずがいこつ》だ。骨はどう見ても腕か足の骨のようだ。がっかりしてまた掘る作業に入ると、出るわ出るわ、次から次へと骨が出てくる。さらに二時間かけて切り株の周囲を掘り返したところ、大量の骨が土から出てきた。

だが、頭蓋骨だけない。

泰正は困り果てて空を見上げた。いつの間にか日が暮れ始めて、空が赤くなっている。とりあえずもう帰ろうと思いシャベルをしまったが、せっかく掘り返した骨を置いていくのは忍びなかった。これはいわゆる戦果だ。泰正にとっては化石を掘り当てたようなものだ。

泰正は深く考えることもなく、掘り出した骨の土を綺麗に払って、リュックに次々と詰め込んだ。全部入れると結構な重さがあり、崖を登るのは一苦労だった。

頭蓋骨は見つからなかったが、骨はたくさん見つかった。そういえば衛の部屋に人体に関する専門書があったはずだ。あの本を見て、骨を並べてみたら面白いかもしれない。

気分はすっかりパズルをする子どもになり、泰正は嬉々《きき》として山を下りて自宅に戻った。汚れた骨を部屋に持ち帰ったら母に怒られるので、ひとまず納屋にリュックをしまっておく。

今度の休みにゆっくり並べてみよう。

泰正は汚れた手を庭の手洗い場で洗いながら、そう考えた。

「泰正、帰ったの？　今夜はシチューよ」

台所の窓を開けて母が声をかけてくる。シチューも泰正の大好物だ。すぐ行く、と答え、泰正は急いで家に駆け込んだ。

泰正の頭はシチューでいっぱいになり、リュックのことはすっかり忘れてしまった。

三 鬼喰い草

Onikuisou

うるう年の二月最後の日に、衛《まもる》が東京から帰ってきた。有給休暇を使って、一週間ほど滞在できるらしい。小説を書く仕事が忙しくなり、衛は兼業のサラリーマンを四月頃やめるという。泰正《たいせい》はてっきり神谷村《かみやむら》に戻ってくれるものと思っていたのだが、衛はまだ悩んでいる最中らしく、はっきりとした答えは口にしない。

「え、また病気の子がでたの？」

家族で夕飯を食べている時に、向井《むかい》家の子どもの美恵子《みえこ》まで咳をして寝込んでいるという話が出て、衛が顔を顰《しか》めた。武蔵《むさし》と、先日戻ってきた父も、具合の悪い子どもが増えているのは知らなかったと驚いている。

「神谷村のほとんどの子が咳がひどくて寝込んでいるそうなのよ。小学校は臨時休校ですって。県から偉い人が来て、原因を調べているらしいわよ」

テーブルに菜の花の和え物を並べて、母が井戸端会議で得た情報を流している。他には鯛《たい》の煮つけや里芋《さといも》の煮っ転がし、豆腐のサラダが並べられている。泰正の子どもの友達は皆病気になってしまった。美恵子も咳がひどいなんて、いつも元気に遊んでいたのに、案外皆ひ弱だなぁと泰正が思っていると、突然武蔵が椅子から立ち上がってテーブルを拳《こぶし》で叩いた。

「いかーん、このままでは泰正も病気にやられる！　すぐに避難させないと！」

米粒を飛ばして武蔵が怒鳴り、蛤《はまぐり》の吸い物をすすっていた泰正は眉を寄せた。

「じいちゃん、俺は成人した立派な男子なんだが……」

「そう……かしら？　おじいちゃん、避難させるべきだと思う？」

不満げに口を開いた泰正を遮るように、母が顔を曇らせる。

「うむ、泰正は一時避難すべきだな。次に狙われるのはきっと泰正じゃ」

「そんなまさか……。いやぁでもそう言われると……」

父まで泰正を見て不安そうな顔になる。何故自分が村の子どもと一緒に扱われているのか納得できず、泰正は衛に助けを求めるつもりで見つめた。弟よ、兄のために何か言ってくれ。

「皆、兄さんの頭は確かに子どもと変わらないけど一応身体は大人だよ。子どもたちの間で感染しているとしても、大人が平気なら大丈夫なんじゃ……」

衛が泰正の顔を見てフォローしてくる。だが頭が子どもとは失礼すぎて泰正は言葉も出ない。

「泰正はしばらく衛の家にでも行けばよかろう。収穫の時期に帰ってくればよい」

武蔵がいいことを思いついたというように笑顔になる。温室栽培のみかんの収穫期は四月頃だ。それまで東京に行けというのか。降って湧いた東京話に頭がついていかなくて、泰正は家族の顔を交互に眺めた。

「あら、いいじゃない。たまには泰正も村から出てみなさいよ。その歳《とし》で狭い世界に閉じこもるのはよくないわよ。こっちには父さんも帰ってきたし、お祖父《じい》ちゃんもいるし」

「そうだな、泰正。少しは外の世界を見てきなさい」

父も母も泰正が家から出るのに賛成のムードだ。泰正はここにいるほうが好きなのに、まるで出ていけと言わんばかりだ。反論しようと思って口に入った里芋を咀嚼《そしゃく》していると、急に衛が身を乗り出した。

「そんな……!! 困るよ、そんなの！」

衛が険しい形相で怒鳴る。珍しく大声を出した衛に、父母も武蔵もびっくりしている。この場でまさか衛から拒否されるとは思わず、泰正は固まった。知らなかった。衛は自分に家に来てほしくないのか。衛はいつも泰正の心配をしているから、てっきり愛されていると信じていたのに。

衛の激しい拒絶ぶりに泰正は大きなショックを受けた。

「お……俺は……除け者《のけもの》だぁ！」

今まで家族から愛されているとばかり思っていた泰正は、皆から追い出された気分になり、茶碗《ちゃわん》の飯をかっ込むと、泣きながら居間を飛び出した。

「あっ、兄さん！」

「泰正！」

衛と家族が引き止める声がしたが、悲しみでいっぱいになった泰正は、そのまま裸足《はだし》で家を出て畦道《あぜみち》を全力で駆け抜けた。皆がそんなに自分を追い出したいなら、自分から出ていってやるという気持ちになり、月光と点々とした家々の明かりがあるだけの暗い道を全力で走った。

「兄さーん」

自宅から衛の声がして追いかけてくるのが分かったが、無視して駆け続けた。悲しいことがあると泰正はとりあえず山に向かう。夜でも昼でも関係ない。ただしこの日は裸足で飛び出したので、地面に転がっていた石や枝を踏んで足の裏が痛くなって途中で足を止めた。

「兄さん、待ってってば」

追いかけてきた衛が息を切らして駆け寄ってくる。泰正はフンと鼻を鳴らし、手近にあった楠《くすのき》の大木に登り始めた。周囲は田んぼしかなく、あるのは長い一本道とこの楠だけだ。太い幹に足をかけ、するすると上を目指す。衛がようやく木の根元に着いた頃には、泰正はかなり高い場所にいた。都会っ子になった衛は来れないだろうと笑ってやろうとしたのだが、予想に反して衛が木をよじ登ってくる。

幹に手をかけて下を覗き込んだ泰正は、ざわりとするものをふと背後に感じて動きを止めた。何かの気配とでも言えばいいのか、ねっとりと肌に吸いつくような嫌な空気を感じたのだ。

首筋にするりと細い枝が絡みついた。

(え?)

泰正は首にかかった枝を振り払おうとしたが、枝がまるでロープのように輪状になり、泰正の細い首を絞めつけてきた。びっくりして首に回った枝を引き剝がそうとして、幹から手を放す。とたんに体勢を崩して泰正は楠から落ちそうになった。

「兄さん!」

衛の悲鳴と同時に、いきなりアレが泰正の目の前に現れた。

スイッチが切れる合図だ。

泰正は落下する直前、楠を振り返った。木の上から首なし男が自分をじっと見ている。筋肉を強調するような二の腕が目に入り、今さらながらこの男を見たことがあるという感覚に襲われた。いや、見たことがあるだけではない。

――首なし男を知っている。

薄れる意識の中、泰正は自分を見下ろす首なし男の不穏な気配を感じていた。


目を開けると自分の肉体から抜け出す真っ最中だった。

眼下には泰正の身体を抱いて、懸命に自分の名前を呼ぶ衛の姿が見える。衛の腕の中で泰正の身体は糸の切れた操り人形みたいにぐんにゃりしていた。

ざわざわと怖気立《おぞけだ》つような恐ろしい気配を感じとって、泰正は顔を上げた。首なし男が木の上にいて、苛立ったように足を踏み鳴らしている。首なし男の立っている枝が大きく揺れ、葉が激しく揺れた。

「泰正、こっちに来い」

名前を呼ばれて振り向くと、諭吉《ゆきち》が急かすように手招きしていた。急いで諭吉の傍に行くと、そこにはべーやんもいる。今日はナマカと呼んでいる友人もいた。ナマカはほっそりとした和装の女性で、前髪が長すぎるせいで顔が見えない。

「アイツ、オコテルヨ」

ナマカはいつも片言だ。腰辺りまで伸ばした黒髪がゆらゆら揺れている。こっちの世界で麻雀《マージャン》をする時は、いつもこのメンバーで卓を囲む。この前はナマカがいなかったから、首なし男が入ってきたのだ。

「首を持ってこないと言って怒ってるな。泰正、ひとまずこの場は逃げよう」

諭吉の指示で、泰正たちは木からダッシュで走りだした。首なし男はすぐさま泰正たちの後を追ってきたが、頭がなくて目が見えないせいか木や電柱にぶつかってしょっちゅう引っくり返っている。後ろを確認しつつ泰正はべーやんと並んでわざと障害物が多い場所を選んで走った。首なし男は木々がたくさん生えている場所ではあちこちにぶつかってしばらく起き上がれなくなるので、泰正たちは首なし男をすぐに撒《ま》くことができた。

「ふー、危なかった。あいつしつけーな。サンキュー、助かった」

首なし男の姿が完全に見えなくなった場所で足を止め、泰正は諭吉たちに礼を言った。

「アンタ、オトート、マサオヨ」

ナマカが元の場所に戻れというように背中を押す。俺の弟の名前はマサオではなくマモルだと言おうとしたとたん、突然すごい力で身体が引っ張られた。身体にゴムがくっついていて、それが目いっぱい引き伸ばされたあげくにパチンと戻ってきたみたいな動きだった。

「――兄さん!!」

衝撃を感じて目を開けると、青ざめた顔で自分を呼ぶ衛がいた。違和感を覚えて瞬《まばた》きを繰り返した。瞬時にこちらの世界に戻ってきたのが分かった。視界はクリアで、身体もいきなり重力を感じて重くなっている。

「よかった、また硬直してたから心配した」

衛が安堵の息を漏らして呟く。マサオというのは顔色が真っ青のことかと頭の隅で思い、泰正は身体を起こした。衛の背後に一つ目の童子が立っている。現実世界でも視《み》えるとすごく嬉しくなる。現実世界でも視えるのは意識が通じ合っている相手だけだからだ。

「ベーやん」

泰正が衛の背後を指差すと、衛がびっくりして後ろを振り返った。

「どうしたの、兄さん。身体は大丈夫？　頭は打ってないはずだけど」

ベーやんを視たはずの衛は特に驚いた様子もなく、泰正のほうに顔を戻すと頭や身体を触ってくる。

「そこにベーやんが」

衛には視えないのだろうかと、泰正は必死に後ろを指差した。けれど衛は振り返っても何も視えない様子で、泰正の額に手を当てて熱を測っている。

「幻覚が見えるなんて、やっぱり木から落ちたショックかな……。すぐ病院に行こう」

「俺は平気だって！　痛くねーし、でもベーやんが……」

泰正は衛の肩越しに視線を向けた。ベーやんはぼーっとした顔で泰正を見つめ、小さな口を開く。

「首なし男が怒ってるー」

どきりとするような言葉をべーやんが吐く。今日はどうにか撒いたが、あの調子ではまた追ってきそうだ。

「山神も怒ってるー」

続けてべーやんが可愛らしい声で告げ、くるりと背中を向け、下駄を鳴らした。べーやんはそのまま子どもの足音を響かせて山に向かう。首なし男も山神も怒っているなんて、泰正には不気味な知らせだ。呼び止めようとしたべーやんは気づくともう姿が視えなくなっていた。べーやんなりに心配して姿を見せてくれたのかもしれない。

「裸足で飛び出すなんて馬鹿なんだから。兄さん、ほら」

泰正の髪にひっかかっていた葉っぱを地面に落とし、衛がしゃがんで背中を向けてくる。よく見ると足の裏から血が出ていた。木から落ちた時か、あるいは走っている時にできた傷だろうか。素直に衛の背中に乗り、泰正はべーやんが消えた方角と木の上を見上げた。べーやんも首なし男も姿はない。

首なし男は麻雀で負けた分、首で払えと言っていた。ひょっとして先ほど首に枝が絡まってきたのは泰正の首を奪う気だったのだろうか。そうでなければ楠の枝が泰正の首に絡まるなんてありえない。

ゾッとして泰正は衛にしがみついた。

「兄さん、決して俺は兄さんが嫌いとかじゃないんだ。ただ二人で暮らすのはちょっと困るっていうか……。兄さんだって分かってるだろ、俺と二人暮らしなんて嫌だって父さんたちに言ってくれよ」

泰正を背負って歩きながら衛が言いづらそうにぼそぼそとしゃべっている。どうして衛の家に泰正が行くのが嫌なのかまったく分からないが、衛が何か困っているのはよく分かった。衛は泰正に東京に来てほしくないのだ。別に東京に行きたかったわけではないが、来るなと言われると悲しくなる。

「聞いてる？　兄さん、俺はね……もう子どもじゃないんだから」

黙り込んでいる泰正を振り返りながら衛がつらそうに続ける。泰正だって子どもではない。泰正の家族は仲良しで、特に衛と自分は強い絆《きずな》で結ばれていると思っていた。その衛に拒絶されたのはかなりショックだった。離れて暮らしている間に衛は変わってしまったのだろうか。

衛の大きな背中で揺られながら、泰正はしょんぼりと眉尻を下げた。自宅に戻ると家族は皆バラエティ番組を見て笑っていた。泰正が出ていったのはいつものことと思って特に気にかけてもいないようだった。

「兄さん、野生児みたいに裸足で出ていくのはやめなよ」

衛は泰正を風呂場に連れていって、汚れた足にシャワーをかける。家族の笑い声がここまで聞こえてくる。少しは泰正を心配してくれてもいいのに。

「衛ー。お前俺のこと嫌いになったのか？」

衛の背中に手をかけて、促されて右足を上げる。衛は泰正の足を丁寧に洗いながら、ため息を吐いた。

「嫌いになるわけないだろ」

「それじゃ、なんで最近冷たいんだよ。会社辞めるのに家に戻ってこないし、俺が東京行くのも嫌がるし……お兄ちゃんは悲しいぞ。俺はこんなに愛しているのに、お前は変わっちまった」

離れて暮らしていても気持ちは一つだと思っていたのに、衛はそうではないのだろうか。衛の真意が知りたくて、泰正は口を尖《とが》らせて文句を言った。

「……あのねぇ、兄さん」

苛立った声で衛が顔を上げ、泰正と視線を合わせた。泰正が屈《かが》み込《こ》んでいたので、思ったより近い距離にいたことに、やや動揺した様子で衛が顔を引いた。

「……ちょっと兄離れしたほうがいいんだよ。兄さんだってそう。いつまでも一緒にいられるわけじゃないんだから」

再び顔を下に向けて衛が呟く。衛の指が泰正の足の指の間を擦っていく。衛の足の洗い方は丁寧すぎてくすぐったくなる。言われるままに反対の足を上げて、泰正は衛の顔を覗き込もうと懸命に顔を左右に振った。衛は頑《かたく》なにうつむいて、泰正の足を洗っている。

「いつまでも一緒じゃなかったのか？　俺の面倒見てくれるって言っただろ」

衛の言い分が理解できなくて、顔を捻《ね》じ曲《ま》げて尋ねる。

「兄さんの面倒は見るよ。父さんも母さんも死ぬ時がきたらね。老後は任せて」

「今、面倒見てくれよ」

不満げに泰正が言うと、呆れたような吐息が衛の口からこぼれる。

「今は面倒見る必要ないだろ」

床のタイルばかり見ている衛と言い合いをするのは、ひどく不愉快だった。最近本当に衛は冷たい。腹が立って泰正は衛の手からシャワーのノズルを奪い、噴き出る湯を衛の顔にかけた。

「ちょ……っ、兄さん！」

眼鏡《めがね》を濡らされて、衛が慌てて立ち上がる。調子に乗って衛にシャワーの湯を向けたら、衛は眼鏡を外し、泰正の頭上にげんこつを振り下ろしてきた。じーんと痺れる痛みを感じ、泰正は頭を抱えてしゃがみ込んだ。木から落ちた時よりよっぽど痛い。

「い……痛いぞ。お兄様に向かってなんつーことを」

涙目で見上げると、衛は濡れた前髪をかき上げてじろりと睨《にら》んでくる。我が弟ながら、眼鏡を外すととても鋭い目をしている。その目つきを隠すために眼鏡をしているのだと衛も言っていた。

「兄さんは時々俺を本気でイラつかせるよ……。俺が笑っているうちにやめてくれる？」

凄みのある顔で微笑まれ、泰正は急いでシャワーの栓《せん》を閉めた。衛は眼鏡を外すと陰険になる。温厚な弟に戻ってもらうためにも、泰正は風呂場から飛び出した。


翌日は早朝からみかん畑に行き、肥料を与え、剪定作業《せんていさぎょう》に勤《いそ》しんだ後、納屋に駆け込んでシャベルを摑んだ。シャベルを摑んだ際にリュックに入れた骨のことを思い出したが、今はそれどころではないと思い、シャベルとロープを担いで山に向かう。

たくさんの骨が見つかった崖下に下り、頭はどこだと目を凝《こ》らしてまだ掘ってない場所を掘り始めた。けっこうな重労働で、昼飯を持たずに作業していたので日暮れには腹ペコの上にくたくたになっていた。しかも頭は見つからない。早く見つけないと首なし男に襲われると怯《おび》え、泰正は食べられそうな葉っぱをむしりつつ山を下りた。明日は母におにぎりを握ってもらおう。そう考えて家路を急ぐ。

翌日は台所に立つ母におにぎりを二つ握ってもらい、ウエストポーチに詰め込んで家を出た。この日はロープを肩に担いだ時点でパーカにジーンズ姿の衛が現れ、「どこへ行くんだ」と険しい顔つきで迫ってきた。

「ちょっと山に」

シャベルを手にして泰正が答えると、衛が納屋の入り口に立って道をふさぐ。

「兄さん、明日は兄さんの誕生日なんだよ。だから今日は山へ行っちゃ駄目だ」

怖いくらい真剣な顔で言われ、泰正は口をへの字に曲げた。何故か知らないが衛は誕生日の前後に泰正が山に行くのをひどく嫌う。理由を聞いても答えないが、山に行くと恐ろしいことが待ち受けているとでも思っているようだ。

「なこと言ってもぉ……。あ、じゃあみかん畑に行きます」

衛をごまかすために仕事場に行くことにしようと思いついて、泰正は明るく言い切った。そう言えばこの場は解放してくれると思ったのに、衛は眼鏡の奥の目を光らせて「それじゃ今日は俺も一緒に行くよ」と言いだした。人手が足りている限り手伝わない衛がわざわざみかん畑に行くなんて、泰正の言い分をまったく信じていない証拠だ。

「いやぁ……仕事あるんだろ？　ずっとパチパチやってるじゃん。昨日も部屋から聞こえたぞ。みかんは俺に任せて、小説書けよ」

最近衛は帰郷しても部屋でノートパソコンを広げて仕事をしている。今はネットさえ繋《つな》がれば資料が手に入るから楽でいい、と言っていた。父母も武蔵も衛の仕事を応援していて、畑仕事は収穫期以外、頼まないほどだ。

「遠慮するなよ、兄さんらしくない」

不気味なほど優しい口調で肩を叩かれ、泰正はそれ以上何も言えなくなって口をつぐんだ。仕方なく目を光らせている衛と一緒にみかん畑に赴く。ストーカーのようにつきまとわれ、なかなか衛の目をすり抜けて山に行く機会はなかったが、父と武蔵が手伝いに来た際に、運よく衛の監視の目を逃れることができた。泰正はロープとシャベルを持って急いで山に走った。

衛には悪いが自分の首がかかっているので、どうしても山に行かなくてはならない。

泰正はいつもの倍のスピードを出して崖下に下りると、まだ掘ってない場所をシャベルで掘り返し始めた。首以外の部分が見つかった場所の近くに頭があるはずだ。早いとこ見つけないと衛に詮索《せんさく》される。首なし男がどうのと言ったって、どうせ衛は信じないに決まっている。

「兄さん」

泥まみれになって懸命に土を掘り返していると、聞き覚えのある声が背後からした。びっくりしたあまり飛び上がった泰正は、すぐ後ろに衛が立っていたのでどっと冷や汗が出た。

「ま、ま、衛……っ。何故ここが」

どうやら衛は尾行して泰正の使ったロープを辿って崖下まで下りてきたらしい。衛にじろりと見据えられ、泰正はシャベルを手から落としてしまった。掘るのに夢中で背後の音などまったく気にしていなかったのだ。

「兄さんをつけてきたんだよ。何か隠しているようだったから。こんなに掘り返して何をしているの？　宝の地図でも手に入れた？」

衛は周囲の掘り返された地面を見下ろし、目を細める。泰正が掘った場所は枯れ葉が取り除かれているのですぐ分かる。こういう隠し事を見抜く能力に関しては、衛の右に出るものはいない。特に泰正は隠し事が苦手で、いつも白状させられてしまう。隠すと余計にねちねちと追及されるので、泰正は素直に話すことにした。

「探し物をしてるんだよ。丸いもの……俺の命に関わることなんだ」

シャベルを均《なら》した地面に突き刺し、泰正は意気込んで打ち明けた。いつの間にか結構な範囲で地面が掘り返されている。

「丸いもの……。命に関わるとは大事《おおごと》だね。ちゃんと説明して」

衛の眉間《みけん》にしわが寄り、じっと見つめられる。

「えっとー麻雀して大負けして、お金なかったから代わりにそいつの首を探すって話になってぇ。その勝った奴が首がなくてさぁ。見つけられないと俺の首がとられちゃうんだ」

説明しろというから素直に話したのに、衛は聞くなり大げさにため息を吐いて詰め寄ってくる。一八〇センチある男から迫られると、けっこうな圧迫感があるものだ。

「兄さん、妄想話はいいから、ちゃんと事情を話して。麻雀で負けて、罰ゲームでもしてるの？　探し物をさせられてるわけ？」

「あー……はい。そんなところです」

頭の固い衛に首なし男の話が通じるわけがない。説明が面倒になって泰正はこくりと頷いた。衛が小説を書いていたと知った時、泰正はひどく驚いたものだ。泰正の話す異世界の住人については一ミリも信じてくれないくせに、架空の話を書いているというのだから。

「丸いものってどれくらいの大きさなの？」

周囲を見渡して衛が聞く。泰正は頭の大きさを手で示した。

「けっこう大きいね。じゃあ疲れたら掘るの替わるよ。手伝ってあげる。その代わり麻雀弱いんだからもうやめなよ？」

保護者みたいな顔をして衛が諭してくる。ここで反論しようものならば百倍の説教が待っているので、泰正は殊勝に頷いた。ちなみに衛は賭け事に異様に強いが、泰正と違って好んではやらない。泰正にすれば宝の持ち腐れだと思う。

何故か衛の許可を得て掘る作業を進めるという状態になり、釈然としないながらも泰正は枯れ葉が積もっている辺りにシャベルを突き刺した。太陽が真上にきた頃、母のおにぎりを食べ（一つは衛に奪われた）延々と穴掘り作業を続ける。

交代してだいぶ掘り進めていった頃だ。突然雨が降り始めた。急いで斜面に生えている大きな木の下に行き、雨を避ける。幸い雨は五分ほどでやみ、空には青空が戻った。再び作業を始めて三十分も経った時だ。地面に座って泰正の作業を見守っていた衛の様子がおかしくなった。

頭が痛いのかしきりに首を振り、顔を歪めている。掘るのを中断して衛の傍に寄ると、かすかに青ざめた顔を上げた。

「頭痛がする……。兄さん、もう今日は帰ろう。なんだか嫌な臭いがする……」

　額に手を当てて、衛が低い声を出す。本当に具合が悪そうだったので、泰正も帰ることにした。嫌な臭いは分からなかったが、衛は鼻が利《き》くから泰正には分からない何かの臭いを敏感に察知したのかもしれない。

　ロープを伝って崖を登り、頭を押さえている衛と一緒に山道を歩いた。

「大丈夫か？　顔色悪いぞ」

　衛の顔が歪んでいるのを見ると、頭痛は相当ひどいらしい。心配して顔を覗き込んだ泰正に、衛はつらそうに大丈夫だと呟いた。

「そうだ、頭痛薬持ってたんだ」

　急な上り坂になっている道を行く途中で、衛が思い出したようにウエストポーチを探った。水がないので、湧水がある二股に分かれた道に案内した。ほどなくして岩の陰からちょろちょろと出てくる湧水を発見する。衛は汚れた手を洗ってから、ウエストポーチに入れていた薬をとり出し、湧水で飲み干す。衛は頭痛持ちなので、常に薬を持ち歩いている。薬を飲んで一息ついたのか、衛が平たい岩に腰を下ろした。

「ちょっと休んでいいかな。薬が効くまで」

　衛に頼まれ、泰正も心配だったのでその場に留まることにした。岩に腰を下ろした衛は何かを耐えるように目を閉じている。衛の横にあった岩に泰正も座った。

「……そもそもさ、なんであんなところにドラム缶があるんだろう」

目を閉じたまま衛はいぶかしげな声で呟く。そういえば何故だろう。どこかの業者が不法投棄でもしたのだろうか。

「兄さんのことで頭がいっぱいで、そっちに気が回らなかったな……。それよりさっきからここはこで変な匂いが……。なんか甘い匂いが……」

独り言のようにしゃべり始めた衛がふいに口をつぐむ。ぼーっと空を見て衛の言葉の続きを待っていた泰正は、いきなり衛が腰を浮かせて目を開けたのでびっくりした。

「今、三月、じゃないか……っ」

衛が引《ひ》き攣《つ》った声を上げてショックを受けている。三月がどうかしたのかと思い、泰正がぽかんとしていると、衛は鼻と口を覆って動揺した様子で立ち上がった。

「やばい、風向きがこっちだ……、兄さん、早く帰ろう」

切羽詰まった声を上げて、衛がもつれるような足どりで歩きだした。突然の行動についていけず口を開けた状態で遠ざかる衛を見る。衛と一緒に帰らなければと思う一方で、甘い匂いが気持ちよくて立ち上がるのが億劫《おっくう》になっていた。頭がとろんとするというか、ふわふわするというか。

「兄さん、お願いだから立って！」

立ち去りかけていた衛が急ぎ足で戻ってきて、泰正の手首を掴む。衛の手がすごく熱い。もしかして発熱しているのだろうか。

「んー……。もうちょっとここにいたいなぁ……」

甘いお菓子をたくさん食べている時のような幸福感に包まれ、泰正はいやいやと首を振った。衛は険しい顔つきで泰正の腕を強引に引っ張り、歩くのを強要する。泰正が地面に尻をつけて逆に衛を引っ張り返すと、両方の二の腕を摑まれて無理やり立たされた。衛のほうがずっと背が高いので、引きずりあげられる形になる。

「兄さん、やばいんだって!! これ鬼喰い草《おにくいそう》の匂いだ——俺たちまた変になる」

絶望的な表情になって、衛が大声を上げる。

泰正はぼんやりと衛を見つめた。


山向こうの鬼沢村《きざわむら》の沼の近くには、鬼喰い草という花が群生している場所がある。泰正たちがその存在を知ったのは中学生の時で、偶然三月の開花時季に山にいたせいだった。

子どもだった頃、封鎖されていた道をこっそり通り抜けて、柵で覆われた赤い花畑に辿りついた。咲き乱れていた鬼喰い草は、あとから調べて知った情報によると麻の変種で、その匂いを嗅《か》ぐと幻覚を見たり、興奮状態に陥《おちい》ったりするという。当時、何も知らずに花畑の近くまで行ってしまった泰正と衛は、花の匂いに理性を失い、ある種のトリップ状態になった。

今でも切れ切れに思い出せるのは、衛と裸になって互いの身体を擦り合わせた記憶だ。物心ついてからは風呂も寝室も別々になっていたので、衛の下腹部に毛が生えているのを見てびっくりしたことを覚えている。泰正はろくに毛も生えてなくて子どもみたいな性器をしていたのに、衛は大人の男のように立派な身体つきになっていた。中学生の頃、泰正は今と変わらず小柄で、女の子みたいな肌の柔らかさを持っていた。だからだろう、理性を失った衛は強い力で泰正を押さえつけ、身体中を舐《な》めて触ってきた。ふだんならば怖かったかもしれないが、花の匂いでおかしくなっていたのもあって、泰正は気持ちよくてほとんど抗わなかった。性教育もまるで受けていなかったせいもあって、行為は舐めたり触ったりするだけに留まった。

けれど衛はそのことを深く後悔しているようで、あれ以来、鬼沢村や鬼喰い草の話を毛嫌いするようになった。正気に戻った衛に何度も謝られたのを覚えている。泰正は気持ちよかったし、衛とならば別に気にならないのに、頑なに誰にも言うなと約束させられ、あの件は封印された。あの日の行為は衛にとって恥ずべき出来事で、人生最大の過ちとでもいうべきものだったようだ。

「早くこの場から去らないと……。頭が痛くて花のことを忘れていた……」

珍しくうろたえた声で衛が告げ、泰正の腕を引っ張って歩きだす。のろのろと引かれるままに足を進めていた泰正は、衛のぎこちない歩き方に気づいて視線を落とした。衛のジーンズの下腹部が張っている。花の匂いで勃起《ぼっき》しているのだ。苦しくないのだろうか。ちらりと見上げると、顔を紅潮させて前を見て息を荒らげている。

「衛ー。歩きづらくないのか？」

気になって問いかけると、衛が立ち止まる。その目が怖いものを見るようにゆっくりと泰正に向けられた。

「……兄さんは勃《た》ってないの……?」

泰正の身体を見る衛はひどくショックを受けている様子だった。泰正はとろんとしていたが、勃起はしていなかった。ただ動くのが面倒で、身体の変化としては眠気を覚えていた。

「俺は眠い……。今すぐこの場で寝たいくらい……」

大きくあくびして泰正は目を擦った。花の匂いを嗅げば嗅ぐほど眠くてたまらなくなる。動揺した様子で衛が手を放した。

「それ収まんの待つ? どうせ人いないし、その辺で出してくれば?」

勃起した状態で山歩きをするのは大変だろうと思い、泰正は気楽な口調で言った。とたんに衛が強張った顔で忌々しそうに泰正を睨みつけてきた。何かが衛の逆鱗《げきりん》に触れたと知り、泰正は眠気が吹っ飛んだ。衛は兄弟の間でも下ネタを話さない。以前、洋平《ようへい》にそれとなく探りを入れたところ、洋平にもほとんどしないという。上品な衛にこんな言い方は駄目だったと反省し、泰正は焦って頭を掻いた。

「えっと、あの俺向こう向いてるし……。ちょっと離れてるし……」

しどろもどろでつけ足していると、衛が苦しそうな息をこぼし、うなじを撫でた。

「……もう最悪だよ、こんな山の中で……。俺は頭がおかしい」

吐き捨てるように言って衛が背中を向ける。拒絶するように遠ざかる衛に不安を覚え、泰正はその場をうろついた。衛らしくもなく自嘲気味な様子だった。泰正は気にしていないのに、衛はこの状況を恥じているようだ。兄として弟を慰めなければと感じ、泰正は衛が消えていったほうに足を進めた。

衛は少し離れた小川の上流にいた。大きな岩にもたれかかり、背を向けている。足音を忍ばせて近づき、背後から観察するが、手が動いている様子はない。気になって回り込むと、驚いたように衛が振り返った。

「離れてるって言ったのに、なんで来るんだよ⁉」

衛は着衣の乱れもなく、見られて困ることは何もないはずなのに、泰正が来たことを怒っている。離れていったからてっきり自慰をすると思っていたのだが、どうやら収まるのを待っていただけらしい。

「んーだってさぁ……。してる気配ないからぁ……」

衛は紅潮した顔で泰正を睨みつけ、目を逸らす。ふだんは泰正をやり込めてくる弟が、今日はとても可愛く見える。衛にもこういう可愛い一面があったんだなぁとしみじみ思い、泰正は頬を弛めた。

「……一人じゃやりづらい。兄さんが隣でやってくれるなら、してもいいよ」

そっぽを向きながら衛が小声で言う。泰正は笑顔で衛の隣に回り込み、ぎょっとした様子の衛の背中を叩いた。どうやら泰正ができないと高をくくって言ったらしい。男同士なら見られても別に恥ずかしくない。

「恥ずかしいのか？　もー。お前にそんな可愛いとこがあるなんてびっくりだぞ。飛ばしっことかするか？　最近やってないからあんまり飛ばないかも……」

「そんなことしてたの⁉　いつ？　誰と？」

明るい声で話す泰正に、衛が険しい顔つきになって問い詰めてくる。上品な衛には話してはいけない内容だったか。泰正は慌てて手を振った。

「中学生の時だよ！　クラスの男子でさぁ……」

「触られたりしてないだろうね？」

「え？　触るわけないじゃん。……うん、まぁ、そういえばその後、先生に触られてやるのやめたんだっけ」

昔の記憶が蘇って泰正は首をすくめた。あの教師も学年主任という以外、接点のない男だった。衛が言うように泰正は黙っていると綺麗な顔立ちだったから、邪《よこしま》な考えを抱く男が時々現れた。

「駄目だよ」

強張った表情で衛が怖い声を出す。

「他人の前でそんなことしちゃ駄目だ。二度としないで」

妙な迫力で衛に禁止され、泰正は慌ててこくこく頷いた。こういう話は衛のほうが避ける節があって滅多にしたことがなかったが、意外と潔癖症のようだ。不用意な発言は控えようと思いながら、ちらりと衛の下腹部を見た。先ほど見た時よりは収まっているような気がするから、このまま気分を鎮《しず》めるのだろうか。

木々の葉の隙間から見える空は、やや翳《かげ》りを帯びている。風向きが変わったのか、それとも離れたおかげか、鬼喰い草の匂いはしなくなっていた。なんとなくしゃべると衛に怒られそうな気配を感じて、泰正は黙って衛の隣に座っていた。

「……兄さん、前にあの花の匂いを嗅いで変になったの覚えてる？」

衛は岩の隙間をちょろちょろと流れる清水を見て、独り言めいた問いかけをする。衛の周囲の空気が硬くなって、なんともいえない緊張感が漂ってくる。

「覚えてるぞ」

衛の方からあの時の話をするのは珍しくて、泰正は横に顔を向けた。泰正の視線を感じているはずなのに、衛は決してこちらを見ようとしない。

「……それでも俺の前で、できるの？　嫌じゃないの？　……嫌じゃないなら……してるとこ、見せて」

衛は顔を背けたままなので表情は分からないが、眼鏡のレンズが曇っているのが見えた。衛は苦しげな声を出している。声が引き攣れ、指先が少し震えていた。泰正にとってはたいした問題ではないのだが、衛にとっては大事みたいだ。そんなに構えられるとやらないほうがいい気がしてくるし、衛が本当はやってほしいのか、やってほしくないのか分からなくなった。単純な泰正と違い、衛は複雑な思考回路をしている。自慰をしたら怒られるのではないかと思い、泰正はもぞもぞと尻を動かした。花畑で変になったのを未《いま》だにこだわっているようだし、衛にとってあれは重大事件だったみたいだ。

「……やっぱりできない？」

考え込んでいると、衛が片方の手で顔を覆った。この言い方だとしてほしいのかもしれない。泰正は悩んだ末にズボンに手をかけた。ずりずりとズボンを下ろしていると、衛が驚愕した様子で振り返った。真剣な顔であらぬ場所を見つめられ、泰正は急に恥ずかしくなった。

「なんか照れるなぁ……。こんなもん見たいのか？　変な奴だなー」

いつの間にか泰正だけが自慰をする羽目になっているのが不思議だったが、衛に見られるのは嫌ではないので下着を下ろして下腹部を外気に晒《さら》した。とたんに衛が食い入るように見てきたので、泰正はつい手で覆い隠した。

「やっぱ恥ずいかも……。そんな見るなよぉ……」

羞恥心《しゅうちしん》に襲われて泰正は赤くなった。泰正の家の風呂は大きいので、よく父や武蔵が風呂に入っている時に一緒に入る。裸を見るのも見られるのも慣れているとはいえ、今のように凝視されるとやりづらい。

「兄さん……さすがに中学の時とは違うね……」

見るなと言う声が聞こえなかったのか、衛は泰正の手を押しのけて下腹部に見入っている。もしかして衛はあまり裸のつき合いをしたことがないのかもしれない。そういえば以前コンプレックスがあると言っていたし、こっそり悩んでいたのかも。泰正が中学生の時も、性の悩みを抱える同級生は多かった。いつも偉そうにしている衛よりも得意なことがあったような気分になり、泰正は萎《な》えている性器を手にとった。

「んん……。うーん……。なぁ、そんな見られちゃその気になれないんだけど……」

衛の見ている前で性器を揉んだり扱《しご》いたりしてみたが、じっと見られているせいでなかなか勃起しなかった。何しろ衛ときたら、息を詰めて真剣そのものだ。泰正がこういう行為をするのは、いやらしいビデオか西瓜《すいか》みたいな胸をした女性の裸がいっぱい載っている本を武蔵がくれる時だ。何もない上に山の中の清涼な空気の中では、気分が盛り上がらない。

「触っていい？」

性器から手を離してどうしようかと考えあぐねていると、ふいに衛が上擦った声で呟き、泰正の性器を握ってきた。

「え？　ちょ……っ」

ぼけっとしているうちに、衛の長い指が泰正の性器を扱き始めた。自分のやり方と違い、少し乱暴だ。すぐにやめると思ったのに、衛は興奮した目つきで泰正の性器を擦り続ける。

「あの、……ん、えっと……」

衛の手で扱かれるうちに、ぞくぞくとした興奮が背筋を駆け抜け、泰正は息を詰めた。衛の手の中で自分の性器が張りつめていく。自分でするより衛にしてもらうほうがずっと気持ちよく、気づいたら性器は完全に反り返っていた。

「勃起してる……。気持ちいいの？」

先端の小さな穴を指でぐりぐりと弄《いじ》って、衛が囁《ささや》く。びくりと震えて泰正は衛の肩に頬を押しつけた。いつの間にか互いの身体が密着していて、自分の荒い息が衛の耳にかかる。

「うん……」

とろんとした目で頷き、泰正は衛の肩にしがみついた。衛の息遣いも忙《せわ》しなくなっている。乱暴な扱き方だった衛の手が、優しく泰正の性器を上下する。じれったいような動きに変わったせいで、もどかしくてたまらない。

「は……。はぁ……、はぁ……」

衛は息を潜めて泰正の様子を見ている。泰正が息を荒らげ、時おりびくっと震えると、衛の息まで

荒くなっていく。風はまだ冷たく、時おり泰正や衛の頬を舐《ねぶ》る。どんどん身体が熱くなってきて泰正はくたっと衛に身体を預けた。

「兄さん……」

ふだんとは違う艶《なまめ》かしい声で呼ばれたかと思うと、次には衛の空いている腕が泰正の背中に回った。衛に抱きしめられる形になり、泰正は戸惑いながらも衛の肩に顔を埋《うず》めた。先走りの汁が出てきていて、衛が手を動かすたびにくちゅくちゅという濡れた音を響かせる。

「兄さん、イきそうなの……？」

くっついた衛の身体ごしに心音が響き渡ってくる。衛の鼓動が激しく波打つ。泰正は呼吸を忙しくして、身をくねらせた。

「ん……っ、……はぁ……っ、はぁ……っ、あ……っ、あ……っ」

衛に扱かれているせいか、いつもは出ないような声が口から飛び出した。自分でやるのと違って、手がどう動くのか分からなくて余計に感じてしまう。甘ったるい声が口から出てくるのを厭《いと》いながら泰正は汗ばんだ身体を密着させた。

「兄さん……、兄さん……」

衛の大きな手が背中から後頭部に回る。指先が髪を摑むような動きでまさぐってきた。そろそろ限界を感じ、泰正は衛の胸を押し返す動きをした。

「衛ぅ……、で……出る……」

こんなにくっついた状態では、精液が相手にかかりそうで、泰正は急いで身体を離そうとした。衛は逆らわずに身体を離してくれた。ところが突然座っていた岩から腰を上げ、身を屈《かが》めてくる。そして驚いたことに、泰正の性器をいきなり口に含んでしまった。

「え？　うわっ」

まさか口に入れられるとは思いもしなかったので、びっくりして引っくり返った声を上げた。生暖かい口内の感触は強烈で、やばいと思ったのに数度扱かれただけで呆気なく絶頂に導かれた。

「あ……、ひぁ……っ!!」

四肢を突っぱねて、衛の口の中に思い切り射精してしまう。駄目だと思っても抗えないほど気持ちよくて、身を震わせながら四肢から力を抜いた。衛は泰正の性器を吸うような動きをして、なおもこちらを翻弄《ほんろう》する。

「ひ……っ、はぁ……っ、はぁ……っ」

すべて出し尽くすと、泰正はぐたっと岩に横になった。衛の顔が離れ、濡れた唇を拭《ぬぐ》って咽《のど》を嚥下《えんか》させる。乱れた息遣いが止まらず、泰正はぼーっとした顔で衛を見た。衛はどこか惚けた顔をしていた。そういえばあの花畑でも衛は泰正の性器を吸っていた。ふと昔の記憶が蘇り、衛はこういう行為が好きなのだろうかと考えた。

「……ちょっと洗ってくる」

濡れた唇を舐めていた衛が、惚けた顔のまま流れている水に手を浸す。事後の余韻に浸っていた泰正は徐々に意識が覚醒し、ずり落ちた下着とズボンを上げた。手と口を洗って衛が戻ってきたので、近づいて声をかける。

「お前のもやってやろうか？」

泰正が気軽に言うと、衛は微かに目元を染めて眼鏡を外した。

「いや……いいよ。俺も出したから……パンツが気持ち悪い」

汚れた眼鏡をパーカの袖《そで》で拭きながら、衛が小声で言う。

「擦らないで出したのか？　器用だなー」

感心して泰正が言うと、衛がムッとした様子で眼鏡をかけた。衛は極力、泰正と目を合わさないようにして、神谷村への道を歩き始める。

「帰ろう」

急ぎ足で家を目指す衛は、帰りつくまでろくに話さなかった。泰正としては変な雰囲気になってしまったので明るく話して帰りたかったのに、生返事しかしない。してみせろと言うからしてやったのに、お礼の言葉もなしかとちょっと腹立たしい。気持ちよかったから別にいいけど、我が弟ながら何を考えているのかよく分からない。

暮れかかる空を見上げ、泰正は夕食はなんだろうと思いながら家路を急いだ。

四　二人暮らし

Two persons life

　昨日一緒に山から戻った衛《まもる》は、その後まるっきり目を合わさずに部屋にこもってしまった。けれど誕生日の当日は朝から衛がつきまとってきて、山へ行くことはできなかった。

　衛は昔から誕生日の日に泰正《たいせい》が外へ出るのを嫌がる。理由を聞いても曖昧《あいまい》な答えしか返ってこないが、特に山へ行こうとすると態度が激変する。仕事であるみかん畑に行くのは止めなかったが、代わりについいてきて一緒に農作業をしていた。

　今年の誕生日の日は昨日と同じく畑へ行くのにもついてきたが、相変わらず怒ったような顔で黙り込んで話しかけても返事をしない。母からは喧嘩《けんか》したのかと聞かれて答えに窮《きゅう》した。衛は時々泰正の及びもつかないような考えで怒ったり苛立ったりしているから、単純明快な思考の持ち主である泰正にはむっつりしている理由が分からない。

　泰正はいつも通りみかん畑で仕事をして父の運転する軽トラの荷台に乗って帰宅し、夕食の席で誕生日を祝ってもらった。

「誕生日おめでとう、兄さん」

　今日一日どこか怒ったような顔をしていた衛だが、夕食の時には家族の手前かいつものように話しかけてきた。とはいえ、やはり何か心に鬱屈《うっくつ》したものを抱えているらしく、レンズ越しの目が笑っていない。贈り物は泰正が欲しいと言っていた『幕末志士ファイヤー』という幕末時代を描いたドラマのDVD-BOXだ。

「うおー、サンキュー!! これでいつでも幕末志士になれるぜい」

値段が高かったので諦《あきら》めていたDVD-BOX。持つべきは金持ちの弟だ。泰正は喜びを前面に出して隣に座っている衛に礼を言った。今夜の食事は泰正の大好物のおろしハンバーグだし、誕生日ケーキは母の手作りのレアチーズケーキだ。毎日誕生日ならいいのになぁと泰正が喜んでいると、父がテーブル越しにすっと封筒を差し出してきた。

「泰正、これは父さんたちからのプレゼントだ」

にこにこと笑う父から封筒を渡され、泰正は目を丸くして封を開いた。中からは航空券が出てくる。羽田《はねだ》行きだ。泰正が戸惑っていると、父は鷹揚に頷く。

「泰正はいつもうちで働いているからな。たまには都会に出て遊んできなさい」

「え……」

話がついていけず、泰正は呆然とする。

「衛も賛成してくれたからな。早速明日には旅立つんだぞ」

父は威厳を込めて言っているが、泰正としてはいまいち喜べなかった。東京なんて行きたくないし、今は山に行って首を探さなければならないのだから。引《ひ》き攣《つ》った顔で衛を見ると、衛は視線を逸らしてお茶を飲んでいる。

「東京にいる間は俺が面倒を見るよ。兄さん、明日は飛行機に乗るから今夜は徹夜してね」

衛の恐ろしい発言に、泰正は固まった。以前、衛の住む場所を見に家族で東京に行った際、泰正は飛行機の中で騒ぎ立てて周囲の乗客と客室乗務員から怒られたことがある。ずっと狭い椅子に座っていなければならないのがつらくて、延々と歌い続けたのだ。

「て……徹夜……」

泰正が慄《わなな》いていると、武蔵《むさし》がかっかっと笑う。

「今夜は朝まで打つか！　泰正、また麻雀《マージャン》で負けたらしいな。衛が言っておったぞ。お前を徹底的に扱《しご》いてやるわい」

「今夜はお母さんも参戦するわ！　負けないわよ！」

「ははは、母さん、庭の掃除を賭けようじゃないか」

父母と祖父が楽しげに話している。泰正は行くなどとは一言も言っていないのに、いつの間にか出かけることになっている。こうなってしまうと泰正に逆らうことはできないので、おそるおそる確認をしてみた。

「あ、あのー。一泊二日とかでいいよな……？」

東京に行くとしてもすぐ帰ってくるつもりだった。ところが父は最低一週間は過ごしてこいと命じてくる。

「四月の収穫期に間に合えばいいから。お前は少し世の中の勉強をしなさい」

今日はひな祭りなのに、一体自分はいつまで東京に行くのだろう。呆然とした泰正は、ケーキが切り分けられていくのを静かに見ていた。

翌日、徹夜のふらふらな状態で泰正は父の軽トラに乗って空港へ向かった。父母と祖父に朝まで麻雀につき合わされ、一睡もしていない状態だ。父も同じ状態なのに平気で運転しているのは体力の違いなのだろうか。昨夜はもちろん泰正が一人負けして、東京から神谷村《かみやむら》に戻ってきたら庭掃除をする約束をした。泰正の作戦はすぐ分かると皆が言う。必死にポーカーフェイスを装っていたつもりだったのに、意味はなかったようだ。

空港で車から降ろされ、母が用意したボストンバッグを持った。父は「頼んだぞ」と衛の肩を叩き、泰正の兄としてのプライドを粉々に砕いた。衛に連れられ右も左も分からない空港内を引きずり回され、機上の人となった。飛行機は嫌いだが、シートベルトを締めたとたん強烈な睡魔に引きずり込まれ、揺すり起こされた時には羽田空港についていた。

「眠い……眠いよ……」

やっと眠れたと思ったのも束の間、すぐに起こされて、泰正はあくびを連発しながらよろよろと歩いた。羽田空港は人が多くて、十メートル歩くだけで何人とぶつかったか分からない。衛に腕を引っ張られ、空港の駐車場に置いてあった車に移動した。

シルバーの車の助手席に詰め込まれ、シートベルトを無理やり締められる。衛の運転で衛の住んでいるマンションまで向かった。車に乗ったとたんまた眠ってしまったので、道中の記憶はまったくない。再び揺すられて目が覚めた時は、マンションの駐車場だった。ボストンバッグを肩に担《かつ》いで外に出ると、すでに空は真っ暗だ。

「兄さん、しっかり歩いて」

ぐにゃぐにゃして歩く泰正の腕を摑み、衛が呆れた声を出す。泰正は眠気が消えず朦朧《もうろう》としていた。衛がお腹《なか》は空かないかと聞いてくるが、それよりもひたすら眠い。半ば引きずられるようにマンションのエレベーターに乗り、十階の角部屋についた。

「兄さん、せめて布団で寝て」

最後に衛の焦った声を聞いた覚えはあるが、眠気が限界にきていた泰正は靴を履いたまま廊下で倒れ込むように眠りに入った。

翌朝目覚めると、見覚えのない部屋にいてびっくりして飛び起きた。何も置かれていないフローリングの部屋で泰正は寝ていた。ちゃんと布団の上にいるし、パジャマにも着替えている。きょろきょろ部屋を見回して、弟のマンションに来たのを思い出した。

部屋から出てリビングに向かうと、リビングと繫《つな》がったキッチンに衛が立っていた。衛はネクタイを締めてぱりっとしたワイシャツを着た状態で朝食を作っている。泰正の顔を見て安堵したようにこんがり焼けたパンを持ってきた。

「やっと起きた。今日は俺、会社に行くから一人で留守番しててね？　絶対迷子になるから外に出ちゃ駄目だよ。帰ってきてから今後のことを話そう。ほら、椅子に座って」

衛はカリカリに焼いたベーコンと卵をプレートに載せて、ダイニングテーブルについた泰正の前に置く。さらに何種類かの果物にヨーグルトをかけたもの、コーンスープの入ったマグカップを次々と並べていく。

「兄さん、俺は会社に行くよ。お昼は冷蔵庫にあるもの勝手に食べて。それじゃいってきます」

背広を着込み、レンズの汚れを拭《ぬぐ》って衛が腕時計を見ながらリビングから出ていった。慌てて椅子を蹴とばしその後を追い、玄関で靴を履く衛を捕まえた。

「あ、あの、えっ、今日仕事だったのか？」

てっきり衛は一緒にいてくれると思っていたので、いきなり一人にされる不安に怯《おび》えた。泰正が焦っているのが伝わったのか、衛はバッグを抱えてポンと肩を叩いてきた。

「インターホン鳴っても無視していいから。いい子にしてるんだよ」

俺は子どもか、と反論したくなるような台詞《せりふ》を投げて、衛は出かけた。外から鍵をかける音が聞こえ、泰正はしおしおとリビングに戻った。

見知らぬ場所に一人残されて不安だが、それよりも腹が減ってきた。用意された朝食を頬張り、改めて室内を見渡す。

衛の住むマンションは2LDKのフローリングの部屋で、リビングは広く、防音タイプでセキュリティのしっかりしているマンションだ。一度家族で来たことがある。その時は高そうな家具を揃えていたのに腹が立ち、ひたすら文句を言っていた。いかにもここに永住しそうな雰囲気を匂わせていたのが気に食わなかったのだ。久しぶりに足を踏み入れて、生活臭が出てきたことにかなりがっかりした。食器棚には綺麗な皿が揃っているし、テレビ周りも充実している。ちらりと覗いた寝室兼仕事場は、大きな机にパソコンやらオーディオ機器が並んでいて、とても神谷村に戻ってくるとは思えなくなった。

衛は東京で暮らす方が楽しいのだろうか。

用意された朝食をもそもそ食べながら、泰正は悲しくなってきた。

腹がいっぱいになった後はトレーナーに着替えて、テレビを見たり窓からの景色を眺めたりして無為に時間を過ごした。マンションの窓から眺める景色は建物ばかりで味気ない。山も見えないし、空はどんよりしているし、衛がいないから暇でしょうがない。お昼になって冷蔵庫を開けてプリンを食べるともうすることがなくなって、仕方なく家に電話をかけた。

「あ、じいちゃん？　俺、俺。え？　オレオレ詐欺？　ちげーよ、孫の泰正だってば。もう暇で死んじゃうよ。山がないから行くとこないし衛は会社に行っちゃったしさ。どうすればいい？　もう帰っていい？」

リビングの電話を使って武蔵と話していると、呆れたようなため息が戻ってきた。

『馬鹿もん。まだ一日しか経っておらんがな。衛がいないならこの隙に、奴のエロ本を漁るべし。怪しいポイントはベッド付近じゃな。見つけたら即刻報告せよ。健闘を祈る』

「うん、分かった」

武蔵からの命令を受け、泰正は早速寝室に行ってベッド付近を探し回った。いつもぐちゃっと物を放り散らかす泰正と違い、衛はきちんと整理整頓ができている。ベッドにはびっくりするくらい物がない。枕と掛布団だけなんて泰正からすれば驚きだ。昔は泰正の部屋にもベッドがあったのだが、あまりにもベッドの上にいろんな物を置きすぎて眠る場所がなくなるという状況になり、母に没収され布団で眠ることになった。

「うーん、おかしいな……」

衛のベッド付近を調べて回り、泰正は首を捻《ひね》った。ベッドの収納引き出しには本や電気コードしか入ってないし、マットレスの下にも何もない。ヘッドボードにも時計や読みかけの文庫本くらいしか置いてないし、エロ本が見当たらないではないか。色っぽいものが何もないなんて、成人男子としてありえない。やっきになって泰正は部屋中探し始めた。

机付近は資料らしき本ばかりで、怪しい気配は皆無だ。クローゼットも衣服しかない。そんな馬鹿なと床に這いつくばってどこかに隠していないか見て回ったが、見事なほど何もない。

(待てよ、一人暮らしなんだし隠す必要ないじゃんか)

盲点に気づき、目を輝かせてＤＶＤが並んでいる棚にダッシュした。ずらりと並んでいるＤＶＤをチェックし、いやらしい作品がないか目を凝《こ》らした。呆れるほどまともな作品ばかりだ。我が弟は禁欲的な生活を送っているらしい。

探し回るのに疲れ、泰正はリビングのソファで横になって眠ってしまった。目が覚めたのは、頬に冷たい感触を感じたからだ。

「うひゃあああ」

飛び起きて奇声を上げると、目の前に笑い声を立てている洋平《ようへい》がいた。手には冷えた缶ビールを持っている。泰正の頬にくっつけたのはそれだろう。

「よーちゃん！」

幼馴染《おさなじ》みが目の前にいて泰正が満面の笑みになると、それを遮るようにこめかみを引き攣らせた衛が立ちはだかった。どうやら夜になり、帰宅したようだ。衛が洋平を呼んでくれたのだろう。洋平もスーツ姿だった。

「兄さん、これは一体どういうことかな？　説明してくれる？」

散乱した部屋を顎《あご》で示し、衛が低い声を発する。部屋を荒らした後、元に戻すのを忘れて眠ってしまった。慌てて逃げ出そうとしたが襟首を捕まえられて、床に押さえつけられる。

「こ、これは武蔵じいちゃんの指示なんだ。俺のせいじゃない、命令されて仕方なくエロ本を探しただけなんだ」

容赦なく背中に衛の重い尻が乗っかってくる。重くて身動きができずじたばたしていると、衛は携帯電話をとり出してどこかにかける。

「あ、もしもし？　おじいちゃん？　兄さんに俺の部屋荒らさせたって本当？」

『なんのことじゃ。知らんなぁ』

間髪容《かんはつい》れず武蔵が答える。ひどい裏切りに遭い、衛の怒りは泰正一人に注がれた。罰として風呂掃除をさせられ、せっかく洋平に会ったのに話もできず浴室で泡まみれになった。泰正が片づけが下手なのを知っている衛は、ぶつぶつ文句を言いながら散らかった部屋を洋平と一緒に片づけている。どうにか一段落ついて、衛と洋平が買ってきたつまみと酒を飲んで夕食代わりにすることにした。

「泰正が東京にいるなんて、ものすげぇ変だな。せっかくだし俺のアパートにも遊びに来いよ。先生様と違って安アパートだけど」

洋平はちらりと衛を見て皮肉な笑みを浮かべる。衛が買ってきたお稲荷《いなり》さんはなかなか美味で、泰正は頬張りながら頷いた。泰正の隣のソファに腰をかけている洋平は、お稲荷さんを貪り食っている泰正を楽しげに見ている。

「行く、行く。つーか俺、なんでどこにも行くなって閉じ込められてんだよ。もー暇で死んじゃうかと思ったぞ。この家何もないし」

「じゃあ聞くけど、兄さん電車の乗り方知ってるの？」

生ハムとチーズの盛り合わせを運んできた衛が冷たく問う。

「……よーちゃん、仕事忙しいのか？」

衛から不自然に視線を逸らして、泰正は洋平に身体を向けた。洋平は三本目の缶ビールを開けて、衛の作ったレバニラ炒めを食べている。

「ほどほど。なんだよ、どっか連れていってほしいのか？　泰正、行きたいとこあるの？　あるなら俺が連れてってやるよ」

陽気に答える洋平に、泰正は咀嚼《そしゃく》しながら唸《うな》り声《ごえ》を上げた。

「うーん……。山？」

「山……」

泰正の答えにがっくりと洋平が肩を落とす。

「そりゃ高尾山《たかおさん》とかあるけどさ、泰正、お前も二十五歳なんだから若者が行くところに行ってみろよ。クラブやバーに行けとは言わないけど、せめて服を買いに行ったりとかさぁ……カラオケでもいいし、スカイツリーでもいいぞ」

「人混み好きじゃない」

衛に作ってもらった焼酎《しょうちゅう》の水割りを飲み干して泰正は首を振る。泰正はビールは苦いから嫌いだ。飲む時はもっぱら焼酎をいろいろなもので割って飲んでいる。

「洋平、兄さんと人混みに行って困るのはお前のほうだぞ。大声で騒ぐか迷子になるかの二択だからな。悪いことは言わない、公園で遊ぶか家で遊んでおけ」

空になった泰正のグラスに焼酎を注ぎ込んで衛が諭すように言う。何しに来たんだと洋平に詰《なじ》られ、パンツの中に氷を入れられた。冷たくて暴れ回ったら衛に「近所迷惑だ」と怒られるし理不尽な思いに囚われる。洋平は酔ってきて、話しながら泰正の肩に腕を回し、頬を指でつついている。洋平は酔うとスキンシップが激しくなる。素面《しらふ》の時はまったく触れてこないのに、おかしな奴だ。

「泰正、お前のほっぺたやらけーなー。黙ってりゃ本当に美少年なのによー。宝の持ち腐れだよ。お前のほっぺ、すげー伸びるー」

けらけら笑いながら洋平が泰正の頬を引っ張る。お返しに洋平の頬を引っ張ったが、恐ろしいほどにがちがちで全然伸びなかった。

「俺のお肌が綺麗なのはみかんのおかげだぞ。みかん最高」

「なぁーチューしていい？　チューさせて」

悪乗りした洋平がのしかかってきて無理やり頬にキスしようとしてくる。泰正が押しのける前に衛が洋平の襟首を摑み、自由になった泰正を空いている手でソファから引きずり落とす。床にごろんと転がって、泰正は鼻を打った。

「いてぇよ！」

「兄さん、洋平は酔ったみたいだからこっちにおいで。洋平は酔うと人格が変わるから危険だ」

洋平をソファに座らせると、衛は泰正の腕を引きずって自分が座っていたソファに移動させる。泰正は赤くなった鼻を手で擦り、顰《しか》めっ面《つら》をした。洋平は「ケチー」と文句を言いながら新しい酒に手を出す。

「衛は二重人格だろ。俺にばっかりいっつもひでぇよな」

「兄さん……こんなに優しくしてあげてるのに、何が不満なの？」

衛は心底呆れたといわんばかりの目つきで見据えてくる。

「嘘つけ。俺にはいつも冷てーよ。一昨日だってよぉ、俺が洗濯機の前で……あ、そうだ、それで結局エロ本とかエッチなＤＶＤってどこにあったんだ？」

話している最中に必死に探していたエロ本の隠し場所が気になり、話題をころりと変える。話の展開についていけなかったのか、衛はこめかみを押さえている。

「エロ本なんてないよ」

「えええーっ、嘘だろーっ、お前金持ってるし、こっちには売ってる店たくさんあるんだろ？　俺なんかじいちゃんと折半でしのいでいるというのにっ」

思わずソファから立ち上がって泰正が目を見開くと、ビールを飲んでいた衛が冷たい眼差《まなざ》しを浴びせてきた。

「兄さん……おじいちゃんと何してるの？」

「泰正、そういうのは興味あるんだ。お前もオトコだねぇ」

とろんとした目つきで洋平がからかってくる。

「衛はそういうの持ってないよなぁ、こいつは重度のブラコンだから。持ってたとしても誰かさんに似た……」

だらしない格好でソファに寝そべりながら洋平が意味ありげに衛に目配せする。ふっと衛の目つきが険悪なものに変わって、洋平を睨《にら》みつけている。

「おっと、衛こえー」

大げさに震えてみせて、洋平がチーズをつまむ。一人だけ話題からとり残されて、泰正は焦って衛の腕を揺さぶった。

「ん？　何？　どゆこと？　衛がブラコンなのは知っているぞ。お兄様が大好きなんだろ？」

泰正が堂々と言い切ると、洋平が腹を抱えて笑いだした。

「衛、ぜんぜん通じてなくてよかったな。泰正、気をつけろよ。お前の弟は変態だからさ」

「洋平……っ」

衛が珍しく赤くなって怒っている。変態とは聞き捨てならない。そこのところをぜひ詳しく聞かせてくれと迫ると、酔った洋平はひーひー笑いながら教えてくれる。

「こいつ女とぜんぜん続かねーし、つき合うのはどっかお前に似た子ばっかりでさ。ぜってぇ危ねーってよく言っててんだよ。泰正が女じゃなくてホントよかったたって」

「洋平……黙れ」

衛が無表情になって、ソファから立ち上がる。衛はいつの間にか作っていた酒を無理やり洋平の口元に押しつける。笑っていた洋平は鼻を摘まれて、強引に酒を流し込まれて死にそうな声を出していた。泰正に背を向けた衛は、洋平の耳元に何か囁《ささや》いている。とたんに洋平は縦に大きく首を振る。

洋平の暴露話は泰正にとって興味深いものだった。男性が結婚する相手は母親に似ていることが多いというが、そんな感じだろうか？　泰正としては衛が自分に特別な愛情を持っている証拠みたいで、悪い気はしない。

「兄さん、洋平の言ってることは気にしないで」

振り返った衛は作り笑いを浮かべている。

「ちょっとからかいすぎた、やーマジにとんなよ。つうか泰正はどうなんだよ？　お前のことだからどうせ女とヤったことないんだろ？」

洋平は酔いが一気に冷めたようで、話題を変えてきた。衛の恋愛事情についてもっと聞きたかったのだが、それはまた別の日になりそうだ。

「俺の初めての相手はさっちゃんだぞ」

泰正が何げなく答えると同時に、洋平と衛が驚きの声を上げて食いついてくる。

「さ、佐智子《さちこ》先生ってマジかよっ」

「に、兄さん、いつ……っ⁉」

二人の驚きぶりが意外で、泰正はきょとんとした。

「俺の成人式のお祝いにしてくれたんだぞ。あっ、言っておくけど、その時はもうちゃんと未亡人だったからなっ」

「すげぇ！　泰正……なんかもういろいろ尊敬するわ。佐智子先生と年の差いくつだよ。お前のストライクゾーン広すぎ。よく勃《た》ったな。つか正月の会話って何げに冗談ってわけでもなかったのか」

洋平はひたすら驚いている。衛に至っては絶句して固まったまま動かない。

「さっちゃんは料理上手いし、プリンも美味しいの作ってくれるんだぁ。嫁にしてもいいなぁと思ったけど、もう子どもが産めないから駄目って断られたんだ。かーちゃんも、自分より年上の人を娘とは思えないって」

佐智子とは今でも仲良しで、遊びに行くとプリンを作ってくれるのでそれでいいかと思い直したのだ。

「兄さん……知らない間に大人の階段を上ってたんだね」

やけに暗い顔で衛が呟く。そんなに佐智子とのことがショックだなんて、もしかして衛は佐智子に気があったのだろうか。

衛の背中がすすけているのが気になって、泰正は衛の頭の上に顎《あご》を載せた。理由は分からないが気落ちしている衛を元気づけようと、顎でぐりぐりと衛の頭を擦る。すると、厭《いと》わしげにすっと腕で払いのけられる。

「……疲れたからもう寝る。洋平、泊まるならソファで寝ろよ」

泰正に背中を向けて、衛が低い声で告げる。引き止める声を無視して、衛は寝室に消えてしまった。何か怒らせるようなことをしてしまっただろうか。不安げな瞳で洋平を見ると、すっかり素面に戻った洋平が苦笑した。

「あー、なんか変な話になっちまったな。さて、俺は帰るわ。家、近所だし」

洋平が缶ビールを飲み干して言う。まるで自分の話したことが原因でお開きになってしまったようで、不安になる。佐智子と経験したという話はそれほどいけないものだったのだろうか。

洋平が帰っていき、泰正は一応テーブルの上にあったものを冷蔵庫やシンクに移動させた。洗い物をしているうちに衛のことが気になり、どうしようかと考えあぐねる。

(そうだ、たまには一緒に寝ようかな)

小さい頃は一緒の布団で寝ていたこともあるが、すぐに衛がでかくなってしまって、めったに同じ布団で寝なくなった。今夜は冷えるし、落ち込んでいる衛を慰めるためにも後で衛のベッドに侵入しよう。

自分の賢い考えに有頂天になり、泰正は洗い物をすませた。

パジャマに着替えてそっと寝室を窺《うかが》うと、部屋は真っ暗で衛は眠っているようだった。抜き足差し足で忍び寄り、衛の寝ているベッドにそろそろと潜り込む。衛の体温のせいか、布団の中は温かかった。起きるかなと思いつつ衛の背中にぴったりと寄り添うと、うーんと唸って衛が寝返りを打つ。

「……兄さん……?」

寝《ね》ぼけ眼《まなこ》で衛が呟く。衛は酒が入っているせいか、すっかり熟睡していたらしい。せっかく慰めに来たが、起こすのも可哀相で、よしよしと頭を撫でて横でこのまま寝ようとした。

「ん……」

半分寝入っているせいか、衛の顔が小さい頃のあどけない記憶と重なった。衛の頭を撫でていた手を引っ込めようとすると、眠そうな声を上げながら衛が覆い被さってくる。

（え？）

覆い被さってきたと思った衛の唇が頬にかかって、泰正は目を丸くした。衛は啄むような動きで唇を動かし、頬から唇に移動してくる。

「兄さん……」

寝ぼけた声をこぼしつつ、衛がちゅっと泰正の唇を吸ってくる。思いがけない行動にびっくりして固まっていると、衛はぼうっとした表情のまま泰正の唇を舌で舐《な》め回《まわ》してきた。衛は啄んだり舐めたりして泰正の唇を味わっている。押しのけようかと思ったが、気持ちよくなってきてしたいようにさせていた。唇のはざまに何度も舌が滑って、抗いきれずに口を開けると、ぬるりとした舌が入ってくる。

（ひゃー。やらしいキスするなぁ）

衛のキスはねっとりとしてとてもいやらしい。吸ったり食《は》んだりして、時々背筋にぞくぞくとした甘い感覚が走る。女をとっかえひっかえしているというだけあって、慣れている。

（あれ。勃《た》ってる）

身体が密着していたので、衛の下腹部が硬くなっているのにすぐ気づいた。深く考えもせず、泰正は唇を重ねながら、ぎゅっと衛の下腹部をパジャマ越しに握った。

とたんにぱちっと衛の目が開く。

「うわあああ！」

目を開けたと同時に衛が奇声を上げて布団を撥《は》ねのけて起き上がった。暗闇でも衛の顔が恐ろしいものになっているのが分かった。衛は信じられないという目つきでベッドの泰正を凝視し、口をパクパクさせた。驚かせちゃったかなと、泰正はにこっと笑って衛を手招いた。

「びっくりさせてごめん、ごめん。ちゅーしているうちに大きくなってたぞ」

軽い口調で言うと、衛の顔が青くなったり赤くなったりして動揺している。衛はベッドの上に正座して、この世の終わりみたいにうなだれた。

「……最悪だよ、俺は正真正銘変態だ……。やっぱり兄さん相手に勃つんだ……。ずっと鬼《おに》喰《く》い草《そう》のせいだと思ってたけど、同じ体験をした兄さんは違う……。もう俺は死にたいよ」

悲愴な顔で衛が呻《うめ》く。そのシリアスぶりにびっくりして泰正は跳ね起きた。

「そ、そんな死にたいなんてお前、怖いこと言うなよ。え、そんな大事だったのか？　もしかしてまた俺、お前を怒らせちゃったか？　ちょっと慰めようと思っただけなんだけど」

絶望的な様子の衛が心配になり、泰正は必死になって言い募った。泰正の慰めはまるで見当違いだったのか、衛は憂鬱《ゆううつ》そうにうつむいている。

「相手が兄さんだから駄目なんだろ……。寝ぼけていたとはいえ、変なことしてごめん……」

「えー、俺はぜんぜん気にしないけど？　俺が相手じゃ駄目なのか？」

「駄目に決まってるだろ!!」

びくっとする声で怒鳴られ、泰正は身をすくめた。一喝されて初めて自分が思っているより事態は深刻なのだと気づいた。性で悩んだ覚えのない泰正からすれば、衛が何をそれほど気に病んでいるのか分からない。兄弟というのはもしかしてそういう行為をしてはいけなかったのだろうか。まさか捕まるとか？　衛の言い方からすると、まるで打ち首獄門が待っているみたいだ。

「兄さんの考えなし！　俺がそれでどれだけ悩んだか知らないだろ⁉　兄さんがそんなだから俺はつけ込んでしまうんだ、いけないって分かっているのに……っ。どうしてもっとちゃんとしてくれないんだ!!　ふつうの兄みたいに……っ、もっと……っ、……っ、クソ……っ、兄さんなんて嫌いだよ！」

爆発したみたいに衛が怒鳴り始めて、泰正は圧倒されて後ろに肘をついた。衛が今まで溜め込んでいたものに微塵《みじん》も気づかなかった自分。しかもどうしてそんなに詰《なじ》られるのか泰正には分かっていないのだ。それよりも何よりも――衛は自分を嫌いだと言った。

ぽろっと涙がこぼれ出てきて、泰正はぶるぶる震えた。家族から嫌いと言われるのは泰正にとっては死刑宣告に等しかった。悲しくて胸が締めつけられるようで、大粒の涙がぽろぽろと頬にこぼれていく。泰正はこんなに弟を愛しているのに、嫌われたなんて。頭が真っ白で何も考えられなくなり、涙腺が弛んで前が見えなくなる。

「兄さん……」

泰正の顔を見て、ハッとしたように衛が動きを止めた。

「ご、ごめん、今のは言いすぎた……、違う、ごめん……」

ふだんは冷静な衛が動揺して両手を上げたり下げたりする。衛はうろたえた様子で、泰正をきつく抱きしめてきた。衛の胸に顔を押しつけられ、泰正は鼻水をすすった。

「ごめん、俺は何をやってるんだ……。違う、嫌いじゃないよ。今のは頭に血が上って、思ってもないことを言ってしまったんだ。ごめんね、泣かないで。兄さん、ごめん」

何度も謝って衛が泰正の頭を撫でる。ショックで思考停止していた泰正も、ひたすら謝ってくる衛の声を聞いていると、少しずつ落ち着いてきた。

「ひ……ひどいんだぞ……。俺を嫌いなんて……」

顔をぐしゃぐしゃにして文句を言うと、衛がまたごめんと謝った。頬が涙でびしょ濡れになり、鼻水も出てくる。しゃくりあげていると衛がティッシュをとってくれたので洟《はな》をかんだ。

「俺が悪かったよ……、本気じゃなかった。ごめんね……兄さん、許して」

泰正が落ち着いてきたのが分かったのか、衛の声もいつもの穏やかなものになる。赤くなった鼻で衛を見つめると、衛の手が伸びてきて頬に触れようとした。けれど触れる寸前で、手は力なく落とされる。

「じゃあ好きだって言ってくれよ」

触れるのをやめてしまった衛に疑惑が生じ、泰正は不安になってすり寄った。衛は泰正の視線を上手に逸らし、どこかぎこちない様子で口を開く。

「好き……だよ」

低い声で呟かれ、今一つ自信が持てずに衛の顔を覗き込んだ。無理やり言わされている感じが気になる。衛は泰正の納得していない表情を厭うように首を曲げ、ため息をこぼした。

「好きすぎて困る。それが問題なんだ」

諦めたような、疲れたような表情で衛が言う。何が問題か理由が分からないが、泰正はぱっと笑顔になって抱きついた。

「俺も大好きだぞ。よかった」

やっぱり嫌いというのは本気じゃなかったのだ。深い安心感に包まれて、泰正は衛の胸に頬を擦りつけた。おそるおそるといった様子で衛の手が背中に回ってきたのを、泰正はきつく抱きしめ返した。

五　逃亡

Escape

衛《まもる》の家で過ごすようになり二日が経ち、合鍵をもらって近所を歩き回るようになった。地元では大型スーパーに行く時は車だが、この辺りは少し歩けばちょこちょこスーパーがあって買い物がしやすい。おまけに地元なら隣町まで行かないとないコンビニが、あちこちにある。コンビニには仰天活劇チョコレートがたくさん売っているので、無駄遣いしそうな泰正《たいせい》はあまり入らないようにしている。夕食を作って衛の帰りを待つのも嫌ではないが、昼間は行く場所がなくて暇を持て余す。ようやく衛が休みの土曜日がやってきて、新宿御苑《しんじゅくぎょえん》に連れていってくれた。緑が多くて気持ちのいい場所だが、一歩出れば車が走る高層ビルの街並みが広がっている。

その日は帰りがけに洋平《ようへい》と待ち合わせしてカラオケにつき合わされた。最近の曲なんて知らないし狭い空間に閉じ込められて、途中で窓から飛び下りたくなった。カラオケルームの窓は開かない仕組みになっていたので、なんとか難を逃れた。

日曜日には洋平が遊園地に行こうと誘ってきたが、乗り物に乗るのに一時間待ちはざらだと聞いてげんなりして出かけるのをやめた。家で料理でもしていたほうがまだマシだ。衛は来客があるから出かけてほしかったようだが、無視して台所でそばを打ち始めた。泰正はそば打ちが得意だ。つなぎの小麦粉を使わず、卵を多めにして混ぜ合わせるのがコツだ。

「お邪魔します」

そば粉をこねていると二時頃、来客があった。年の頃は二十代後半の柔らかい雰囲気の青年だった。ぱりっとしたスーツ姿なので会社の同僚かと思ったが、衛が世話になっている出版社の担当編集者だという。

「すみません、長峰《ながみね》さん。兄がいるんですが……」

長峰という男に申し訳なさそうに衛が言う。リビングに入ってきた長峰は、泰正に気づいてソファに黒いバッグを置くと、名刺をとり出して挨拶《あいさつ》してきた。

「はじめまして。朋栄社《ほうえいしゃ》の長峰と申します。三門《みかど》先生にはいつもお世話になって……え、兄？」

頭を下げて名乗っていた長峰が、顔を上げて泰正を凝視する。泰正は衛が世話になっている編集さんと知り、目を輝かせて長峰の手を両手で握った。

「弟がいつもお世話になってます。末永くよろしくお願いします！」

泰正は自分も挨拶くらいできるとばかりに、はきはきした口調で言った。長峰は泰正をじーっと見てから、白くなった自分の手を見下ろし、ぶっと噴き出した。そういえばそばを打っていたので、手は粉で真っ白だ。

「兄さん……っ、長峰さん、すみません」

手を白くされた長峰に、衛が慌てて謝っている。長峰はおかしそうに笑って肩を揺らした。いかにも好青年といった明るい人だ。名刺には長峰将《たすく》と書いてある。泰正は粉まみれになった名刺をズボンのポケットに突っ込んだ。

「いえ、構いませんよ。それにしてもお兄さんと聞かされていなければ弟さんと間違えてましたね。お兄さんの話は何度か伺いましたが、こんなに可愛らしい人だとは思いませんでした。これならブラコンになってもしょうがないですよ」

長峰はにこにこしてよくしゃべる人だった。立ち居振る舞いが爽やかで、いかにも東京人という雰囲気だ。その爽やかさに免じて弟かと思ったという一言は許してやることにする。

「可愛いのは見かけだけですから、どうか無視してください」

衛はハラハラした様子で泰正を見やり、長峰をリビングへ連れていく。お茶を出そうと思ったが、衛がすばやく用意してしまった。濡れたタオルで手を拭いている長峰を見ながら、泰正はそば粉をこねる手に力が入った。美味いそばを食わせてやらねばという一心で、つやが出るまでそば粉をこねまくる。

リビングでは衛と長峰が仕事の話をしている。次の作品がどうのと言っていたので、とりあえず衛の執筆活動は順調らしい。三十分くらい話し合いが続いただろうか。生地を麺棒《めんぼう》で伸ばしていた時に、長峰が帰る気配が漂ってきた。

「では、そういうことで。お忙しい中、すみませんでした。これで失礼します」

慌てて泰正は「待てーい！」と大声を上げた。

「俺のそばを食っていかなきゃ、生きて帰さん！」

泰正が発した声に、長峰がびっくりした顔で振り返り、またぶっと噴き出した。

「す、すみません、長峰さん……。兄はちょっと変わり者で……」

赤い顔で衛が長峰に謝っている。泰正はそばを食べさせようとしただけなのに、どうしてすみませんなのか。泰正のそばは近所でも美味くて有名なのに。

「いえいえ。先生さえよろしければ、ご相伴に与《あずか》りますよ」

笑いながら長峰が頷いたので、泰正は急いで打ち粉をして生地を折り畳む。そば包丁がなかったので、万能包丁で生地を切っていった。いつもならそばつゆも作るのだが、衛の買ってきたそばつゆが美味かったのでそれを出すことにした。沸かした鍋にそばを放り込み、ゆでて冷やして急いでテーブルに運ぶ。

「できたぞ！　十五分以内に食べてくれ！　早く、早く」

泰正がつゆの入った器を持ってきて煽《あお》ると、長峰がおかしそうに笑ってダイニングテーブルに着いた。長峰は笑い上戸らしい。そばは打ち立てが一番美味い。時間が経てば経つほど味が落ちていくので、ともかく急いで食べてほしかった。

「兄さん……本当に……頼むよ」

顔を引《ひ》き攣《つ》らせつつ衛が椅子に腰を下ろし、箸を持つ。急き立てる泰正につられて、衛と長峰がそばをすすり始めた。

「……美味い！」

長峰が目を輝かせて一言発する。

「そうだろー!?　お前なかなか見所があるぞ」

「兄さん、ちゃんと敬語使って」

喜びのガッツポーズをしてはしゃいでいると、衛に諫《いさ》められた。

「構いませんよ。いや、本当に美味しいです。お店が開けるくらいですよ」

長峰は笑顔でそばをすすり、泰正を褒《ほ》めちぎる。泰正はにやけて長峰の隣に座り、そばをずるずるすすった。

「う～ん、我ながら美味い。俺はもしかして天才ではなかろうか」

泰正は自画自賛してそばをかっ込んだ。そばは腰があり、硬さもばっちり、咽《のど》ごしも爽やかで言うことなしだ。

美味しそうにそばを食べた長峰は、最後までにこやかに泰正と話をしてくれた。次に出す本の打ち合わせをかねて来てくれたらしいが、泰正が引き止めると微笑みを浮かべて話につき合ってくれた。一つ不思議な点は、長峰の視線が時々泰正の周囲にちらちらと動くことだ。まるで小さな虫でもいるみたいに、長峰の視線は前触れもなくあちこちに移動する。なんできょろきょろしてるんだ、と泰正が聞くと「いやいや、なんでもないです」と曖昧《あいまい》な返事を長峰はする。

「今度お礼させてくださいね」

長峰は帰り際に優しい笑みと言葉をかけてくる。

「いい人だなぁ。お前の仕事相手がいい人でお兄ちゃんは安心したぞ」

帰っていった長峰を思い返して、泰正は兄としての立場からコメントをした。汚れたキッチンを片づけていた衛は、どこか不機嫌そうに泰正を見る。

「長峰さんがあんなに笑顔になったの初めてだよ、兄さんが気に入ったみたいだね……。っていうか兄さんは顔出さなくてよかったんだよ。何、打《う》ち解《と》けちゃってんの」

理由は不明だが衛は何か気に食わない点でもあったようだ。こういう場合は触らぬ神に祟《たた》りなしと、泰正はリビングから出ていこうとした。

電話が鳴ったのはその時だ。

泰正が出ようとしたが、タオルで手を拭《ふ》きつつ衛が電話のある場所まで足を進めたのでそのまま部屋に戻ろうとした。すると受話器をとった衛が「母さん」と声を出す。母からの電話ならもう帰っていいか聞こうと思い、泰正もリビングに戻った。

「うん、うん……え？　なんでそんなものが!?　嫌だな、不法侵入かな。警察はなんて言ってるの？　いつ置かれたか分からないの？　嫌がらせかもしれないし気をつけてくれよ」

電話口の衛は不穏な気配だ。何事か起きたのかと近寄ると、衛が険しい表情で泰正に向かって口を開く。

「納屋に人骨が置いてあったんだって。うちのリュックの中に誰かが入れていったらしいよ。警察が来て調べているみたいだ」

納屋に人骨——衛に言われて、リュックに入れたままだった骨のことをようやく思い出した。

「それは俺のだぞ。俺が掘ったんだから」

得意げに胸を反らして言うと、衛の動きがぴたりと止まった。両目が見開かれ、信じられないという顔つきでわなわなと震えて唇が開く。

「俺の……って、何？　兄さんが掘った？　ちょっと……、本気で言ってるの？」

「え、そうだけど……」

すごいと言ってもらえるのを期待していたのに、衛の様子があまりにも深刻そうで泰正は不安になった。もしかしてまずいことをしてしまったのか。

「どこで⁉　いや、なんで骨なんか拾ってくるの⁉　掘ったって、正気なの⁉　兄さん、どうして考えなしにそんな馬鹿なことするんだ‼　頭おかしいんじゃないの⁉」

頭ごなしに怒鳴られて、泰正はびっくりして後ずさった。そこまで怒るなんて、相当やばいことをしたのかもしれないと気づき、冷や汗がどっと出てくる。

「だ、だって俺が掘ったもんだし……」

「そういう問題じゃないんだよ！　警察に事情を話さなきゃ駄目だろ‼　どうしてそんな常識的なことが分からないんだよ、兄さんの馬鹿！　すぐ警察に連絡を入れなきゃ！」

焦って動揺しているせいか、衛の怒る声にはとんでもないことになったという雰囲気が滲《にじ》み出《で》ている。しかも警察、警察と怖い単語も出てくる。まさか捕まるようないけない行為だったのか。泰正は気が動転して、リビングから飛び出した。

「兄さん、待って！」

逮捕されるのは恐ろしかったので、泰正は後先考えずにマンションを飛び出した。衛が追ってくるのは分かったが、怒鳴られたせいで頭が真っ白になりパニックを起こしていた。エレベーターから降りると、マンションの敷地を飛び出して、闇雲に走った。逮捕されたら家族と会えなくなるし、刑務所という恐ろしい場所で苦役を果たさねばならなくなる。もしかしたら拷問《ごうもん》だってされるかも。

脳裏を次々と恐ろしい想像が過《よ》ぎり、泰正は何かから逃げるように走り続けた。


どれくらい走ったか分からないが、泰正は縁石に躓《つまず》いて道路に引っくり返った。通りすがりのOLらしき女性が「大丈夫?」と心配そうに寄ってきたくらいなので、相当派手に転んだらしい。

無我夢中で飛び出したのでエプロンをつけたままだ。足下はサンダルだし、財布も持たずに出てきた。泰正はエプロンだけ外してシャツとズボンという格好になると、犯罪者のように人目を気にして歩きだした。転んだ時に少々膝を打ったが、厚手のズボンを穿《は》いていたので痛くはなかった。

綺麗に整地された煉瓦色《れんがいろ》の道路に四車線ある車通りの多い道。見知らぬ場所だ。少し歩くと交番があって、泰正はどきっとして身を隠しながら足を速めた。

(どうしよう……。帰ったら捕まっちゃう)

泰正は当てもなく歩き、これからどうしようかと頭を悩ませた。掘り出した骨を納屋に置くことがそれほど悪い行為だなんて知らなかった。山で採《と》ったキノコや山菜と同じようなものだと思っていた。とにかく逃げなければと思ったが、闇雲に走ったのもあってここがどこだか分からない。自分がどの方角に向かっているかも謎だし、ちゃんと逃げているのかぐるぐる回っているだけなのかも不明だ。

二時間ほど歩き続けているうちに、だんだん疲れを感じてきた。日も暮れて周囲は薄暗くなっている。神谷村《かみやむら》なら暗くてもどこにいるか分かるのに、こんなごみごみしたビルばかりの街じゃ、まるで迷宮をさまよっているようだ。

途中で公園を見つけ、泰正は一度休もうと思ってベンチに座った。中央に噴水があり、周囲にベンチや植込みがある公園だ。ベンチには寝そべって身体に新聞紙をかけて寝ている男がいて、泰正は最悪の場合ここで眠ろうかと考えた。

気が動転していたので、何も持っていない。ポケットを探ると朝、自販機でジュースを買った時のお釣りが八十円。それにさっきもらった長峰の名刺がズボンのポケットに入っている。逃げるにしてもあまりにお金がない。これでは腹が減ったらその辺の草を食べるしかないではないか。洋平に連絡をとりお金を借りて逃亡の手助けをしてもらおうかと頭を巡らせたが、慌てて出てきたので連絡先が分からない。一度遊びに行ったがアパートの場所なんて覚えてないし、電話番号も記憶にない。

思いあぐねた末、名刺をもらった縁ということで長峰を頼ろうと思い、泰正は公衆電話を探した。公園から出て探すこと一時間、公衆電話はなかなか見つからなかった。ようやく見つけた時にはとっぷりと日も暮れて、会社帰りのサラリーマンやＯＬが泰正を追い越していく。ふと番地の書かれた看板を見ると、もらった名刺の住所と地名が似ている。知り合ったばかりの長峰を頼るのに迷いを抱いていた泰正だが、それに後押しされるように受話器を握った。

『はい、朋栄社、第一編集部です』

電話に出たのは女性だった。

「な、長峰将さんを、えーと俺は泰正で……」

『タイセイ……様ですか？　少々お待ちください』

いきなりきちんとした女性が出てきたので、焦って苗字を名乗るのを忘れてしまった。はらはらして待っていると、ややあって男性の声が耳に入ってくる。

『はい、長峰です』

「長峰さん！　逃亡するから金を貸してくれぇ！」

聞き覚えのある声が聞こえて、安堵のあまり本音を直球で投げつけてしまった。案の定、長峰は無言になり、しばらくして咳払いをした。

『えーと、どちら様でしょうか』

「さっきそばを打ったんだぞ、衛の兄ですっ、逃げないと逮捕されちゃうから、お金貸してほしいんだぞ、もう歩きつかれてへとへとなんだ。衛は怒るし、ここがどこだか分からないし、あ、でも名刺と住所が似てるから近いはず……俺を助けてくれ、もう都会は嫌だ。田舎に帰りたいよう」

思いつくままにまくしたてた。長峰は黙って泰正の話を聞いていたが、やがて思い出したように笑いだした。

『ああー、三門先生のお兄さん！　社の近くにいるんですか？　すみません、何を言ってるかまったく分からないんですが、そちらに行きますよ。ちょうど仕事終わって帰るところですし。どこにいるか分からないってことは、迷子ですか？　目印になりそうな建物は？』

長峰に聞かれて周囲を見渡すと、少し離れたところで大きなカニが手足をばたつかせている。

「カニが……」

『大体分かりました。じゃ、カニの下にいてください。今から行きます』

快く長峰が頷いてくれて、泰正はホッとして電話を切った。偶然持っていた名刺のおかげで助かった。あとは現状を訴えて、力を借りるしかない。長峰はいい人っぽいし、自分より頭が良さそうなので何か知恵を授けてくれるに違いない。

大きなカニの下に向かうと、繁華街に入った。店がずらりと並んでいて、行き交う人の量も多い。泰正は挙動不審な様子で歩きつつ、カニの下で長峰を待っていた。人混みに少し酔っていると、中年男性が優しげな顔で近づいてくる。

「どうしたの、君。誰か待っているの？　暇だったらおじさんが何かおごってあげようか？」

待ちくたびれた様子で立っていたせいか、中年男性は親しげに言葉をかけてくる。おごりと聞いて急に腹が鳴り、泰正はついていこうかなとよろめいた。

「タイセイ君！」

ふらっと足が動きかけたところで長峰が現れ、慌ててスーツ姿の長峰に駆け寄った。長峰はどこか怒ったような顔でじっと泰正を見る。

「タイセイ君。変な人についていっちゃ駄目ですよ。君は騙《だま》されやすそうだから、気をつけて」

まるで衛に叱られているような気がして、泰正はぽかんと口を開けた。長峰とはちょっと話をしただけなのに、なんで騙されやすいと分かるのだろう。

「それにしてもどうしました？　逃げるだの、金を貸せだの、トラブルにでも巻き込まれたとか？　会ったばかりの俺を頼るほど、困っているんですか？」

「そ、そうなんだ、逃げないと死刑なんだぞ。衛はすげー怒ってるし、警察が来て俺を捕まえるんだ。俺は刑務所に行きたくない」

長峰に聞かれて現状を思い出し、泰正は泣きそうな顔になった。ここで見捨てられたらおしまいという意識があり、長峰の腕にしがみついて必死に訴える。

「死刑なんて、テロでも起こした？　それとも誰か殺したとか？　よほどの大事件でも起こさないと死刑にはされないと思うけど」

真面目な顔で長峰に語られ、びっくりして泰正は飛びのいた。

「お、俺は誰も殺《や》ってない！」

「まぁ、そうでしょうね。最初から順に話してみてくれますか。とりあえずご飯食べに行きます？　タイセイ君は何が好きなのかな」

再会してやっと笑顔になった長峰が、誘導するように泰正の背中を押す。みかん、と答えると笑って長峰がカニの店からほど近い和風の佇《たたず》まいの店に案内する。長峰はここの店の顔なじみなのか、のれんをくぐると店主らしき男が上機嫌で挨拶してきた。

「峰ちゃん、言われた通りやったらいいことずくめだよ。ホントにありがとう」

「そうでしょ、入り口は大切な場所だからね。いい気が入るようになると、お客も増えるよ。奥使っていい？」

長峰と主人が話しているのを隣で聞きながら、泰正は廊下を通って奥の座敷に案内された。畳の部屋に床の間があって、実家の雰囲気に似ていて気分が落ち着いた。座布団に座ってきょろきょろしていると、割烹着姿《かっぽうぎすがた》の女性が来て、目の前のテーブルに水と小皿に入った和え物を置く。長峰はメニューを見て適当に注文してくれた。女性が出ていって戸が閉まると、ようやく二人きりになった。

「それで、何がありました？」

長峰に聞かれて、泰正なりに順序立てて説明を始めた。けれど長峰からすれば理路整然とはいえないようで、何度も質問された。料理が運ばれてくる間に呼吸困難になりつつ事情を話すと、少し間を置いて長峰が笑いだした。

「タイセイ君は面白いなぁ……。それじゃあ死刑になんてなりませんよ、安心して。罪に問われることもないんじゃないかな。警察は単に掘った場所や事情を知りたいだけだと思いますよ」

安心させるように笑みを浮かべる長峰を見て、泰正は脱力してテーブルに突っ伏した。

「そうなのかぁ……俺もう駄目かと思ったんだぞ……。衛がすごい剣幕で怒るから」

「三門先生も心配しているでしょうから、連絡しておきますね」

にこにこして長峰は携帯電話をとり出し、どこかにかけている。

「あ、三門先生、お世話になっております。実は今お兄さんと一緒で……」

長峰はすらすらと泰正と会ったという話をしている。漏れ聞こえてくる衛の声が大きくなったり小さくなったりするのが分かり、泰正はドキドキした。

「ええ、今店なんで食事がすんだら、三門先生の家まで送りますよ。はい、それじゃまた後で」

長峰は電話を切り、いたずらっぽく笑って泰正を見た。

「三門先生、すごく心配してましたよ。まぁ君みたいなお兄さんがいたら、そりゃ心配でしょうね。

まずはご飯でも食べましょう。食べ終えたら家まで送りますから」

衛が怒っていないと分かり、泰正も安心して箸を握った。

店の食事はなかなか美味かった。田舎料理と銘打った店で、素材もいいし味も悪くない。酒を勧められ、泰正は肩の荷が下りた思いで日本酒を飲んだ。長峰に会えて本当によかったなぁと自分の幸運を噛みしめた。自分が犯罪者ではないと分かり、気持ちが軽くなったのもあって、長峰に聞かれるままに神谷村での暮らしを話した。長峰は聞き上手で、支離滅裂な泰正の話をとても楽しそうに聞いてくれる。打ち解けた気分になった泰正が「敬語はやめてくれ」と頼むと「それじゃ」と笑って長峰がくだけた口調になった。

熱燗《あつかん》を長峰の杯《さかずき》に注ぎながら、泰正はとろんとした目つきで呟いた。

「峰っちはいい奴だなぁ」

「……変なこと言っていいかな」

長峰はこそばゆそうにうなじを掻いて、秘密を打ち明けるように顔を寄せて口を開いた。

「実は俺、ふつうの人が視《み》えないものが視えるんだ」

どこか泰正の反応を気にするような顔つきで長峰が話す。何故小声でしゃべるのか分からなくて、泰正はけらけらと笑った。

「俺も視えるぞ。山に行くとたくさんいるぞ。なかでもべーやんと諭吉《ゆきち》とナマカは仲良しなんだ。けど衛はぜんぜん視えないんだよなー。なんでだろ」

「タイセイ君……」

笑いをこらえるような顔で長峰が口を押さえ、目を細めた。

「引かれなかったのは初めてだな。でもやっぱりタイセイ君も視えるんだ。タイセイ君に会った時、周りで妖精……っていうか小さい人がちょろちょろしてるから、これは相当純粋な子なんだろうなと思ったんだ。山にはたくさんいるの？　もっと話を聞かせて」

ネクタイを弛めて長峰が身を乗り出す。衛はいつも「また夢を見たんだよ」と馬鹿にする話なのに、長峰は楽しげに聞いてくれる。山で会う不思議な存在についてあれこれ話し、スイッチが切れると向こうの世界に行くと教えた。現実世界と向こうの世界の風景はちょっと違う。向こうの世界は時間の流れがゆったりして、音の聞こえ方もかなり差がある。異次元とでも言えばいいか、いつもふわふわしているし、すごく静かだ。現実世界でも不思議な存在は視えるが、意識が通じ合った相手だけなのでなんでもかんでも視えるわけではない。糸電話と似ていて、互いの糸と糸がくっつき合うとけっこう視えてくる。

先日向こうの世界に行った際、首なし男と麻雀《マージャン》をして首を要求されていると泰正は訴えた。何故泰正が骨を掘り出したのか、ようやく合点がいったらしく、長峰は真面目な顔になった。

「駄目だよ、タイセイ君。首なんか賭けちゃ。それにしても急いで探さないといけないね。どっちみち骨の件で帰郷するだろうから、早く探し出すんだよ」

「うん……早く見つけないと」

改めて他人から言われると事の重大さがひしひしと感じられて、泰正はうなだれた。

「それと俺が視えるってのは誰にも内緒にしてね。三門先生にも言っちゃ駄目だよ。こういうこと言うと変人扱いされるし、仕事にも支障をきたすから」

「分かった」

どうして言ってはいけないのか分からないが、長峰が真剣な顔で止めるので泰正は素直に頷いた。

そう言われてみれば、自分はよく変人と言われる。そのせいだったのだろうか。

話が盛り上がり、店を出た頃には十一時を回っていた。長峰は通りを走るタクシーを捕まえて、一緒に泰正を乗せてくれる。長峰は後部席でポケットを探ると、名刺入れから一枚の名刺をとり出した。

「タイセイ君。これ俺のプライベートの名刺。何かあったら連絡してね」

昼にもらったのは会社の名刺だと教えられて、新しくもらった名刺を大事にポケットにしまった。東京で友達ができるなんて自分もなかなかやる。代わりに泰正も自宅の電話番号と住所を教えた。タイセイってこういう字を書くんだ、と長峰が頬を弛める。四国に行く用事があったら連絡するよと社交辞令かもしれないが言ってくれる。

和やかに話していたはずが、夜の道を走っているタクシーの中で困ったことが起きた。飲みすぎたせいで気持ち悪くなってしまったのだ。車から降りたいと言うと、長峰が角を曲がった辺りでタクシーを止めてくれた。

「ううう……、おんぶ」

吐くほどではないが気持ち悪くなり、もう一歩も歩けないと泰正は長峰に両手を伸ばした。

「えっ、おんぶ!? うんじゃあ、まぁ……」

困った顔で長峰が背中を向けたので、遠慮せずに泰正はその背中に乗った。衛のマンションまで歩いていける距離だったので、長峰は泰正を背負ったまま歩きだした。長峰のバッグは泰正が持っている。

「おんぶなんて大学の合宿の時以来だな……。泰正君が軽くてよかった」

泰正を背負いつつ、長峰は何かツボに入った様子で笑っている。夜風に頬を嬲《なぶ》られ、気分もだいぶ回復してきた。ふと見ると、衛のマンションが遠目に見える。

もうじき家に着く、と思った時、不自然な動きで長峰が立ち止まった。その目がマンションの前の大きな木に注がれる。

「泰正君、首なしって、もしかしてアレ?」

潜めた声で呟くと、長峰はうつむいて再び歩きだす。言われて大木に視線を注いだ泰正は、葉が茂る間から大きな男の身体が見えてびくっとした。

「うひょうおお……。お、追いかけてきたんだぞ……、最近見なかったのに……っ」

木の間で身体を揺らしているのは、間違いなく首なし男だった。神谷村から東京まで追いかけてきたのか。なんてしつこい奴なんだ。

「よくないものだね、目を合わさないほうがいいな……。俺は視ることはできても、お祓《はら》いとかはまったくできないからなぁ……。あ、そうだ。胸の内ポケットから財布とって」

泰正を背負い直しながら長峰が指示する。言われた通り長峰の内ポケットから財布をとり、差し出す。

「小銭入れの中にお守りが入ってるから、あげるよ。俺より君のほうが必要そうだ」

財布には黄色い袋のお守りが入っていた。手作りっぽく、中を見るとフェルト生地で中の珠《たま》を覆っている。握るとじんわり熱い不思議なお守りだった。

「峰っちはなくて大丈夫なのか?」

「俺はまた作ってもらうから」

親切な長峰に礼を言って、財布をポケットに戻した。木の下を通る時が一番恐ろしかったが、お守りのせいか首なし男は木々を揺らすだけで近づいてこなかった。しかし不満げに枝をがさがさと揺さぶっている。

マンションに戻ると、仁王立《におうだ》ちした衛が玄関で待っていた。これはこれで大変だ。

「長峰さん、本当に申し訳ありません。兄が迷惑をかけて……」

衛は何度も頭を下げて長峰に謝り、手に封筒を握らせようとする。長峰が「いいですよ」と断っているが、なんとか封筒を受けとらせようとする。長峰は根負けして受けとっていた。

「それじゃ泰正君、またご飯でも食べに行こうね」

明るい笑顔で長峰が去っていき、部屋に戻った泰正は衛にこっぴどく叱られる羽目になった。衛いわく、人の話を最後まで聞かずに飛び出す泰正は馬鹿でアホで間抜けだそうだ。死刑だと思ったと泰正が言うと、そんなわけあるかとまた怒られる。長峰に夕食をおごってもらいタクシーに乗せてもらい、おんぶをしてもらったという話をすると、衛は目眩《めまい》がしたようだ。

「信じられないよ、兄さん。もう本当に……っ、俺が怒ってるの分かってる!?」

玄関の前の廊下で正座をさせられ、怒りで声を荒らげる衛はいつもより目が吊り上がっている。

「大体どうして俺じゃなく、今日会ったばかりの長峰さんを頼るわけ⁉　そんなに俺のこと信頼してないのか⁉」

衛の説教を受けているうちに、長峰を頼ったのが気に食わなかったようだと鈍い泰正も気づいた。その証拠に説教がループしている。

「だからたまただって。でも峰っちはいい奴なんだぁー。俺、好きになっちゃったな。あ、そんなに妬《や》くなよ、衛のことも信頼してるって」

軽い口調で言ったせいか、とたんに衛は冷淡な顔つきに変わった。

「兄さん……、ぜんぜん反省してないようだね」

レンズ越しの目が鋭い光を放っている。本気でキレ始めたのが分かり、泰正は急いで土下座した。衛は怒鳴っているうちはまだマシで、冷たい声を出す時は非常に厄介なのだ。

「と、とんでもございません、反省してます。今日の俺の行動はとてもあつかましかったです。ひらに、ひらにお許しを……っ」

平身低頭で許しを乞い、泰正は二度とこのような暴挙には出ないと約束した。衛はまだ不満げだったが、すでに深夜を過ぎていたのもあり許してくれる気になったようだ。キレたのは、図星だったからに違いないと内心思いつつも、泰正は殊勝な態度で謝った。今日のことは反省して、帰郷したら長峰にみかんを送ろうと思った。

「ともかく家に戻ろう。まだ有給あるし、心配だから俺もついていくよ」

がみがみ叱った末に、衛が疲れた様子で帰郷を告げた。神谷村に帰れるのなら泰正は万々歳だ。

問題は窓を開けた時、首なし男がこちらの様子を窺《うかが》っていることだ。布団にくるまり長峰にもらったお守りを握りしめ、泰正は早く朝になりますようにと祈った。

翌日の飛行機で、泰正は衛と一緒に神谷村に戻った。昨夜は首なし男が窓の向こうから家の中を覗いているのが気になって眠れず、おかげで飛行機の中ではぐっすりだった。嫌な気配はなくなったから、さすがの首なし男も飛行機の速さにはついてこられなかったに違いない。

空港で待ち構えていた父の車に乗ったとたん、こっぴどく叱られた。いつもは冷静な父だが、今回の件はかなり動転したらしい。

「泰正、まったくお前はアホだアホだと思っていたが、そこまでアホだと思ってなかったぞ！　なんで納屋に骨なんか置くんだ、いやそもそも骨なんか拾ってきちゃ駄目だろう！　お前は拾ったもん勝ちと考えているところがあるようだが、けしからん。勝手になんでも持って帰るんじゃない。大体お前は前にも山羊や耕耘機《こううんき》を持ち帰って、こっぴどく怒られたのを忘れたのか⁉　山に落ちてるものはお前のものじゃないんだぞ！」

父の説教は五年ほど前に山から持ち帰ったものにまで及んだ。山羊ははぐれているのかと思って連れて帰って、耕耘機は誰かが捨てていったのだと思ったから拾って帰ったのだ。事実、壊れた家庭用の耕耘機はどこぞの誰かが不法投棄したものだった。

「父さん、落ち着いて。兄さんも一応反省しているみたいだし。運転しながら怒ると血圧が上がって危険だよ」

反省した態度で父の説教を聞いていると、衛がとりなしてくれた。父は怒ると運転が荒くなり、スピードが増す。田舎の道とはいえ、危険なのでこれ以上父を怒らせて血圧を上げたくない。

「上官、骨はもう持って帰らないであります」

反省しているのを分かってもらおうと、背筋を正して敬礼した。

「死体も持って帰っちゃ駄目だぞ！」

それなのに父が振り返ってさらに大声で怒鳴るので、泰正は首をすくめた。いくらなんでも死体は持って帰らないと言いたかったが、真剣な顔で助手席の衛が振り返り「本当に駄目だからね、兄さん」と釘を刺してきたので自分は相当疑われているのだと思い知らされた。

自宅に戻るとすでに夕食時で、呆れ顔の母と武蔵《むさし》が待っていた。

「泰正、今度納屋に変なもの持ち込んだら、一生ご飯抜きだからね！」

母は父と同様カンカンに怒っている。泰正は骨を拾ってきた場所を教えることになったのだが、夜の山に入るのは危険ということで明朝警察が来るようだ。

「泰正、ひょっとしてわしがダウジングした場所か？」

武蔵は泰正が山で探し物をしていたのを知っていたので、あの崖下に骨があったのではないかと推測している。そうだと答えると「最初から骨を探していたと言え」とまた叱られた。皆から怒られまくっているものの、やはり神谷村はいい。空気は澄んでいるし、一歩外に出れば山に囲まれているのが何よりも落ち着く。

「かーちゃん、東京でお世話になった人にみかん送りたいんだけど」

夕食の後、母に宅配便の用意をしてもらっていると、横から衛が気になった様子で泰正の手元を覗いてきた。みかんジュースの入った段ボール箱を見て、いぶかしんでいる。

「長峰さんに送るの⁉ 出版社宛じゃないね。なんで住所知ってるの？ 俺だって知らないのに」

不審感ありありの顔で見られ、泰正は得意げに胸を張った。

「ひひひ。俺の方が仲良くなったんで妬いておるな。峰っちは俺の友達なんだぞ」

衛をからかうと、ムッとした顔で身を引く。

「別に妬いてないよ。兄さんが迷惑かけないか心配なだけだ」

強がっている衛を見て、段ボール箱にガムテープを貼りながら母が笑う。

「泰正は滞在期間は短かったけど、向こうでお友達ができたのね。よかったわぁ。衛、あんたも少し兄離れしないとね。泰正だってやる時はやるのよ。やらなくていいことまでやっちゃうけどね」

「母さんまでそんなこと言って……」

思いがけないところから窘《たしな》められて、衛はショックを受けたのか、自室に引きこもってしまった。自分に友達ができたくらいで気落ちするとは。泰正は衛のブラコンぶりにニヤニヤと笑みがこぼれる。

宅配便は明日母が出してくれると言うので、安心して任せた。それにしても突然帰ることになったので、ろくな土産を持ち帰れなかったのが心残りだ。

「そういえば杉尾《すぎお》の家の長男も咳をして寝込んでおるそうじゃぞ」

寝る前に武蔵が気がかりそうに教えてくれた。杉尾の家の長男は今年高校に上がったばかりだ。未だに太郎《たろう》も咳がやまないようだし、一体どんなウイルスが蔓延《まんえん》しているのだろう。

得体の知れない不穏さを感じ、泰正はぶるりと震えた。


翌日朝食を食べ終わった頃に、県警の人間が数人やってきた。駐在所の警察官の加々美《かがみ》も一緒に来たので、泰正としては気楽な気持ちで対応できた。

警察の人と父母、それに衛も一緒に、泰正の案内で山に入る。県警の人たちは天気の話や今年の収穫の話などをして、泰正一家の気持ちをほぐしてくれた。警察といってもそう怖い人たちではないのかもしれないと、泰正はリラックスして山道を進んだ。いつもの通り山で駆けだすと県警の人間から速すぎると悲鳴が上がり、泰正は道々、木に登ったり虫を捕まえたりしながら彼らと歩みを合わせた。

「なんというか君は……山の子だね」

ようやく目的の崖の上についた時、はぁはぁと息を切らせながら県警の山田《やまだ》という中年男性が感嘆したように泰正の肩を叩いた。山に慣れている父母はともかく、県警の人間は少々息をきらしている。

「この下なんだぞ。ロープをここにくくって……」

崖下を指して泰正が教えると、山田が泰正の話を止めた。

「その前に、どうして崖を下りようと思ったのかな？　君はしょっちゅう山に来ているというけど、こういう崖下に下りるのもいつものことなの？」

　ふいに山田の目が鋭くなって、泰正は首をすくめた。

「ここは初めてだぞ。べーやんと諭吉と首なし男と俺で麻雀して、負けて頭を探す約束して……」

「首なし男？」

　泰正の説明に山田が鋭い目つきになる。すかさず衛が割って入って、泰正が話すよりも先に口を開く。

「すみません、兄は現実と妄想の区別がつかないところがあって、よく妖怪と会って麻雀をするなんて言うんです。戯言《たわごと》なんで無視してください」

　衛の説明を受け、山田の目が少し柔らかくなる。なんとなく同情されているのを感じて、泰正は衛を押しのけた。

「妄想じゃないぞ、皆に視えないだけでちゃんといるんだぞ。それに妖怪っていうか、山の住人だぞ。まぁ確かにべーやんは一つ目小僧だけど……」

「兄さん、黙って。そういう話はよそでしないで」

　衛が泰正の口を手でふさいで注意してくる。

「本当にすみません、この子は純粋な子でして」

　母が泰正を押しのけて山田に愛想笑いを浮かべる。

「そうなんです、五歳児と話していると思っていただければ。なんでしょうね、このように田舎で育つと世間に疎《うと》くて頭の中にお花畑ができるようなんですよ」

気持ち悪いほど丁寧な話し方をする父にまで後ろに押された。泰正がしゃべると皆してフォローするので、どうやら言葉に気をつけたほうがいいらしい。

「はぁ……。しかし首なし男というのは気になりますね。骨を鑑定している最中ですが、確かに頭蓋骨だけないんです。それで泰正君、話を続けて?」

山田が泰正を促すように頷く。

「えっと、それでー首なし男の首を探してたんだけど見つからなくて、じいちゃんが針金持ち出してここが怪しいって」

「じいちゃん? 針金?」

「あの、祖父がダウジングを趣味としてまして、それでここまで来たんだと思います」

不可解な顔をする山田に母が恥ずかしそうに口添えをする。

「ここにロープを張って下りて、掘り始めたら骨が出てきたんだー。理科室の人体模型みたいにパズルをしようと思って持ち帰ったんだけど、すっかり忘れちゃって……」

泰正の説明にようやく意味が分かったらしく、山田が頷いてくれる。早速下りようという話になったが、身軽な泰正はともかく、県警の人間たちは鑑識の鷺ノ宮《さぎのみや》とリーダーらしき山田だけ下りることになった。ぴょんぴょんとロープを伝って下りる泰正と違い、県警の人間の下り方は危なっかしくて運動不足が否めない。それでもなんとか崖下に下りて、泰正の示す場所にテープを張ったり、写真を撮ったりし始めた。崖上にいる県警の人と無線で話しているのを見て、泰正もやってみたいとねだったが、衛から怒られた。

「ところで、このドラム缶はなんだろう?」

調査がおおむね済んだ頃、山田が気がかりな様子でドラム缶に近づいた。

「なんだか異臭がするな……。不法投棄かもしれない。検査用に少量持ち帰ろう」

錆《さ》びて穴が空いたところから漏れだした液体のせいで、雑草がしおれて黒ずんでいる。山田は荷物から容器をとり出し、周辺の土を掘り返した物を入れた。

「これからはああいうものを見つけたら、すぐ警察に届け出なきゃ駄目だよ」

最後に山田から真面目な顔で諭され、泰正も殊勝に頷いてみせた。

山から家に戻り、ひとまず安心したということで衛は東京に戻ると言いだした。最終便に乗れば明日は会社に行けるそうだ。おそろしいまでのビジネスマンぶりに泰正は「ひいい」と怯《おび》えたが、どうやらもうじき退社というのもあって、引き継ぎなどいろいろ忙しいらしい。

「それにしてもあそこに骨があったなんて……。これからはもっと兄さんの話を分析しなきゃ駄目だな。首なし男なんていうから妖怪の一種かと思ってスルーしてたよ。本当に頭蓋骨を探していたんだね……」

去り際に無念といった声音で衛に呟かれ、なんだかなぁと泰正は遠くを見つめた。


次の日は久しぶりにみかん畑に行き、みかんの生育を見て回った。温室栽培のみかんは実が徐々に大きくなってきている。たくさん実がついた木のみかんはあまり甘くならない。大きさも不揃いになるので摘果《てっか》という作業を行う。

心配していた首なし男は、長峰にもらったお守りのせいか姿を見せない。このままずっと出てこないことを祈るのみだ。

一通りの作業を終えた後、泰正は急いで母の作った弁当を食べて山に向かった。崖下に行くとびっくりしたことに警察の人間が何人も来ていて、宇宙人みたいなマスクや分厚い手袋、白い防護服に身を固めている。小回りの利《き》くクレーン車が崖上に置かれ、重いドラム缶を吊り上げている真っ最中だった。ちょうど山田がいたので何事かと聞くと、渋い顔で教えてくれる。

「昨日採取したものを検査したら、有害物質でね。不法投棄をしていった業者がいるらしい。運び出すまで近づかないほうがいいよ」

山田に言われて泰正は飛び上がって驚き、すぐにその場を離れた。あのドラム缶には危険な薬品が入っていたのだろうか。知らずに傍にいた。そういえば衛は頭が痛いと言っていた。もしかしてドラム缶のせいだったのではないか。

二鬼山《ふたおにやま》の頂上に向かいながら、泰正はどうしようかと途方に暮れて空を見上げた。崖下に行けば、首があるのではないかと思ったのだが、あの様子ではしばらく近寄れないだろう。以前も空き地に不法投棄されたことがあって、数カ月間立ち入り禁止の立札が立っていた。

（待てよ、警察があそこを探してくれてるんだから、見つかるのを待てばいいんじゃないか？）

頭蓋骨を探さねばと焦っていたが、あの崖下は警察が調べるはずだ。警察も頭蓋骨がなくて困っていると言っていたのだから。

しばらく探索は中止だと決め、泰正は下山した。

家に着いた頃には日も暮れていて、父母も帰宅していた。季節は春に移り変わっていて、徐々に日が長くなっている。泰正の家の三和土《たたき》は広く、そこに近所の家からお裾分けされた野菜が入った段ボール箱が置かれている。母にキャベツを持ってきてくれと言われ、新聞紙に包まれたキャベツを一つ台所に運んだ。ついでに山で警察の人間と会い、昨日のドラム缶が不法投棄で有害物質が入っていたという話をした。

「まぁ大変。あとで詳しく聞きに行かなきゃ」

母は興奮した様子で今にも近所の主婦仲間の家に行きそうだ。何度も通った泰正はどこも悪くないから大丈夫ではないかと思ったが、あとからじわじわ広がる毒もあるのよ、と怖いことを言う。それにしてもあんな山奥にドラム缶を捨てに行くなんて、重くなかったのだろうか。

泰正はのほほんと構えていたが、翌日、神谷村は大騒ぎになっていた。ドラム缶の中に入っていた物質は硫酸ピッチというもので、水と反応すると有害なガスを発生させるらしい。どれくらい前から捨てられていたのか知らないが、雨が降るたびに有害なガスをまき散らしていたことになる。三つあるドラム缶のうち二つは中の液体が漏れていなかったが、一つは腐食して液体を少量だが流出していたため、危険な状態だった。

泰正に難しいことはよく分からないが、心配した両親に病院に連れていかれ呼吸器系全般を検査された。ガスを吸うと咳や呼吸困難に陥《おちい》ることがあるらしい。あの場所には何度か行ったが、特に呼吸が苦しかったことはない。検査の結果も問題なしだ。

「衛にも検査するよう言っておいたわ」

衛に連絡を入れた母が心配そうに言う。

神谷村では子どもたちの原因不明の咳は、その不法投棄のせいで有害ガスが発生していたためではないかと騒ぎになっていた。村で専門家を呼んで聞いたところ、詳しく調べないとはっきり言えないが、採取された量と雨の量からみて、いくら山にいても崖下に行かない限り呼吸器に障害が出るとは考えにくいという意見だった。

けれど不思議なことに、ドラム缶が山からとり除かれた後、子どもたちはみるみるうちに回復した。老人の間には山神様の怒りだと言う者もいて、山にお供え物がおかれたそうだ。家族からあれほど叱られた泰正だが、ドラム缶を見つけたのは泰正のおかげという話が広まって、村中の人から礼を言われ、三門家にはたくさんの野菜のお裾分けが届いた。

「不正軽油だろうな。誰が不法投棄したか調べられるんだろうか」

夕食の席でも不法投棄の話題はよく上り、泰正はちんぷんかんぷんな話にもっともらしい顔で頷いていた。父は不法投棄した人間はよそものだと断定している。おそらく会社ぐるみの仕業だ——憤《ふん》懣《まん》やるかたないといった態度で父は語った。

「まぁ理由はどうあれ、泰正のおかげで見つかったんだからたいしたものよね。あのままずっとあそこに置かれていたら、子どもたちは元気にならなかったかもしれないわ」

母には褒められ、カボチャプリンを振る舞われた。

「何を言っておる、ダウジングで見つけたわしのおかげじゃーい」

武蔵は泰正の手柄を横取りして、近所中にいかに自分のダウジング能力がすごいか言いまわっている。

不法投棄の件が片づいたと思ったのも束の間、そこから思いがけない展開になった。県警が調べた結果、軽油を密造していたエコ・ユートピアという会社が浮かんできたのだが、そこで働いていた社員の一人が骨の主だと判明したのだ。泰正は首を探していたので骨しか拾わなかったが、衣服と一緒に持ち主が判明する物が掘り返されたそうだ。

「泰正、驚かないで聞いてね。あそこに埋められていた人、美貴本《みきもと》保《たもつ》だったんですって」

井戸端会議で情報を仕入れてきた母が、気遣わしげな表情で泰正に教えてくれた。美貴本保と聞き、泰正は七年ぶりにどっと冷や汗が出て身体が硬直してしまった。

――美貴本保。まさかお前だったのか……。

首なし男の姿が脳裏を過ぎり、呼吸が苦しくなる。言われてみればあの筋肉質の身体、ふだんは物腰が低いくせにキレると乱暴になる様は、美貴本そのものだった。顔がなかったことが泰正から恐怖を消し去っていた。もし顔があったら、会った瞬間に硬直していただろう。

因縁めいたものを感じながら、泰正の記憶は一気に七年前に引き戻された。

六、過去の傷痕

The past scar

泰正《たいせい》が十八歳の夏、美貴本《みきもと》保《たもつ》は神谷村《かみやむら》に現れた。

駅に近い場所にエコ・ユートピアという名前の会社が突如出現し、美貴本はそこで働いていると言っていた。エコロジーを考えるという名目のわりにたいした活動もしていない、今思えば実体のない会社だった。作業服を着てよく山にいたので、泰正は疑いも抱かずに土木関係の仕事をしているのだろうと信じた。

最初は問題なかったのだが、二人きりになると美貴本は度を越えたスキンシップをするようになってきた。美貴本は泰正のことを好きだと言い、なんでもするよとしょっちゅうまとわりついてきた。泰正が逃げると低姿勢で謝り、触れるのを厭《いと》うと声高に怒鳴って威嚇《いかく》してきた。美貴本といるとねばねばした糸に搦《から》めとられているような気分になり、声が出なくなり身体も固まってしまう。泰正にとって美貴本は恐怖の対象だった。

身体を触られるのが嫌だったわけではない。一緒にいるとどす黒い靄《もや》のようなものが身体に張りついてくるのが気持ち悪かったのだ。

幸い、泰正の様子がおかしいのを察した衛《まもる》が、美貴本から守ってくれた。当時高校生だった衛は口が達者で、洋平《ようへい》や穣《みのる》と一緒になって泰正に近づくなと美貴本に言ってくれた。子どもに喧嘩腰《けんかごし》で迫られたのが腹立たしかったのか、しばらく美貴本は泰正の行く先々にわざと姿を現した。衛は何も言わなかったが、帰宅した際、顔を腫《は》らしていたこともあったので、殴り合いもあったのかもしれない。美貴本の腕は泰正の腕の倍くらいの太さだったから、あれで殴られたら死ぬ危険性だってあっただろう。その後、事情を知った父母が警察にかけ合ってくれて、警官が美貴本に不審な行動を控えるようにと警告してくれた。困ったことがあったならすぐ相談しなさいと父には叱られた。泰正自身は殴られたこともなく、ただ気持ち悪いという理由だけで父母に相談するのはやりすぎではないかと思っていたのだ。

いつも元気な泰正だが、当時は美貴本が恐ろしいあまりかなり憔悴《しょうすい》して、心配した両親が少しの間母方の祖母の家に行かせようかと話していたほどだ。ところが秋の気配が深まってきた頃、ぷつりと美貴本の姿は消えた。エコ・ユートピアも店じまいの貼り紙がしてあったので、会社が引っ越したのだろうと思った。おかげで泰正は元気をとり戻し、神谷村で暮らし続けることができた。

エコ・ユートピアが不法投棄をしていたと知り、だから美貴本はしょっちゅう山をうろついていたのかと泰正は今さらながら思い当たった。おそらく人が足を踏み入れない、不法投棄がしやすい場所を探していたに違いない。とはいえその本人も埋められていたとなると、明らかになんらかの犯罪が行われていたことになる。当時は消えてくれてよかったと安堵していたが、まさか殺されていたとは思いもしなかった。

美貴本のいたエコ・ユートピアを覚えている村民も多く、山を穢《けが》されたと怒っていた。警察はエコ・ユートピアに勤めていた他の社員を捜しているらしい。エコ・ユートピア自体は今は廃業しているそうだ。

三月の半ばを過ぎると、衛が勤めていた会社を退社し、神谷村に一旦帰郷した。エコ・ユートピアと美貴本の話を聞いて、衛は戸惑っていた。

「あの男が……？」

衛は七年前のことをよく覚えていて、泰正が説明するまでもなかった。

「うちに警察が来なければいいけど……」

衛は不安げな顔で何かを憂えている。まさか警察はもう来ないだろうと思っていたが、一週間後、衛の不安は的中した。

みかん畑で作業していた泰正たちのもとに、再び県警の山田《やまだ》が訪れたのだ。山田はあの日山で一緒だった若い刑事と来て、事情を聞きたいと手帳をとり出した。二人の刑事は今日は背広姿だ。泰正たちは作業の手を止め、いつも昼食をとる、温室の隣にある小屋に集まった。

「たびたびすみませんね。警察の調書の中に、七年前美貴本とお宅が揉めたという記録が残されてまして」

山田は父母の背後に庇われている泰正を、瞬《まばた》きもせずに見つめる。

「そうだぞ、あいつしつこかった……」

昔を思い返して泰正が眉を寄せて口を開く。

「こちらは被害者ですよ、あの男はうちの息子をストーカーして、大変だったんです」

怒り心頭といった様子で父が泰正の言葉を遮り、山田に食ってかかる。

「そうですよ、警察の方が一応注意はしてくれましたけどね、そのあともうろちょろして……っ」

母も山田の目から泰正を隠すように厳しい声を出す。どうして二人が山田に対して怒っているのか分からず泰正はおろおろしたが、続いた父の言葉で理由が分かった。

「刑事さん、まさか泰正を疑っているんじゃないでしょうね。あの美貴本の巨体と、この子の貧弱な身体では比べようもないですよ。大体あそこはドラム缶が不法投棄されてたくらいだし、美貴本を殺したのもどうせ同じ穴の狢《むじな》でしょう」

父の言い分を聞いて、泰正は自分が容疑者の一人になっているのを知った。まるでドラマのようだとわくわくして、泰正は父母を押しのけて口を開いた。

「お、俺にはアリバイがあるっ」

「アリバイ？」

怪しげな顔で山田に問い返される。同時に父母も驚愕《きょうがく》の顔で振り返る。

「一度言ってみたかったんだぞ。あ、言ってみたかっただけであります。上官、アリバイはありません」

泰正の照れ笑いの敬礼に、父母ががくっと前のめりになった。父はすかさず泰正の頭を叩き、わずかに赤面している。

「泰正、遊びじゃないんだ。馬鹿な発言はやめなさい」

「だってこんな機会めったにないしぃ……」

父に叩かれた頭が痛くて、泰正はしょげた顔になった。山田はそれまで怖い顔をしていたが、泰正の様子に苦笑する。

「泰正君。死亡日もおおまかにしか分からない状態だからアリバイがあるなんて、却《かえ》って不自然だよ。私も君を疑っているわけではない。まだ死因は特定できていないが、被害者は首を切られているから、それなりの力が必要だろう。だが共犯者がいれば別だ。三門《みかど》さん、もちろんエコ・ユートピアの線も調べていますよ、ご心配なく」

山田はゆっくりと父母に視線を巡らせ、手帳を開いた。美貴本の頭蓋骨はまだ見つかってないと話し、捜索中だと教えてくれる。

「少し泰正君とお話しさせていただいても構いませんか？　のちほどお二人にもいろいろお聞きしますが」

山田に丁寧に聞かれ、父母も駄目とは言えず泰正から身を離した。母は泰正の肩に手を置き、真剣な様子で言い含めてくる。

「泰正、話したくないことは話さないでいいのよ。黙秘権があるんだから」

「おおお、黙秘権！　いつか使ってみたかった……」

母の言葉に目を輝かせ、泰正はいつ使おうかと頭を働かせながら山田と若い刑事と一緒に温室に入る。今日は気温が低いから、温室に入ると温かくて過ごしやすい。山田は色づき始めているみかんを見てあれこれと質問してきた。みかんのことなら任せろと、泰正は嬉々《きき》として答える。うちのみかんは日本一という話をしていたのに、いつの間にか美貴本の話になっていた。あの頃を思い返し、泰正は美貴本のせいで体重が十キロ減ったと嘆いた。

「なんか怖い奴だったぞ……、ねばねばしてどろどろしてべたべたなんだ。やたら住んでるアパートに来いって言うし、俺の身体触ろうとしてくるし、黒い靄が出てて気持ち悪いんだ。添木《そえぎ》と一緒だ」

「添木？」

山田がいぶかしげに聞き返す。

「村役場で働いているマッチョな奴だぞ。あいつもねばねば系だ。車に乗せようとするし、怖いから俺は避けてるんだ。弟が言うには、俺は簡単に騙《だま》せそうだから、ああいう変な男を呼びやすいんだって。俺は別にアホじゃないぞ、皆誤解している」

まくしたてるように泰正が言うと、山田は以前も見せた同情的な目つきになって泰正を見た。横にいる若い刑事にいたっては、顔を顰《しか》めている。

「添木という人物については、私から忠告しておこう。それでもつきまとうようならまた言いなさい」

山田に力強い言葉をもらい、泰正は目を輝かせた。

「い、いい人……。さすが正義の味方だぁー」

笑顔になって泰正が飛び跳ねると、すかさず山田が質問してくる。

「君はあの骨が美貴本のものだって知ってたの？」

「知るわけないだろっ、知ってたら絶対持ち帰らなかったぞ。あんなキモい奴の骨を担《かつ》いでたなんて考えるだけで怖い」

「美貴本がいなくなった前のこと、覚えているかい？　何か変なこと言ってたとか、変わったことなかった？　七年前だけど、なんでもいいから覚えていることがあったら教えてくれないかな」

山田に問われ、泰正は腕組みしてあの頃のことを思い出そうとした。美貴本に関してはあまり思い出したくないという意識が働いていたので、ほとんど出てこなかった。

「それじゃもし君がピンチの時に、身体を張って助けてくれそうな人って誰？」

山田に微笑みながら言われて、すぐさま泰正は「衛」と答えた。

「弟の衛はいつも俺を守ってくれるんだ。とーちゃんとかーちゃんとじいちゃんも俺を大切にしてくれるけど、やっぱり一番は衛だな。衛は俺と違って頭もいいし、器用だし字も書けるし、ともかくすごいんだぜぇ」

山田に衛のすごさを分かってもらおうとして、泰正は思いつくままに称賛してみた。その後もいくつか当時の話を聞かれたが、特にはっきりした答えを出せず、泰正は解放された。

山田と若い刑事はその後、父母のところに行き、いろいろ聞き込んだようだ。一時間ほどで警察の二人が帰っていき、泰正たちも作業を再開した。父母は疑われたようで腹立たしいという話を延々として、衛が帰っていることを言わなくてよかったとこぼしている。二人とも山田が嫌いなようだ。泰正は嫌いではないのだが、疑われたと聞き、内心どきりとした。

もしかして泰正の話を聞いた山田は、衛を疑うのではないだろうか。

山田は泰正は疑っていないと言っていたが、泰正の代わりに美貴本と衝突した人物がいると考えたかもしれない。不用意に衛の話をしてしまった自分を悔やみ、頭の中がそのことでいっぱいになった。

(でも衛が美貴本を殺すとかありえないし……多分)

首に巻いたタオルで汗を拭《ぬぐ》い、泰正はひどく不安になってドキドキしてきた。そう言えば、あの頃衛は顔を腫らして帰宅したことがあった。今思えば、そのあと美貴本がいなくなったのではないか。単純な泰正は、衛が美貴本と喧嘩してきたのだと思っていた。

——衛が犯人だったら。

泰正は落ち着かなくなって周囲をきょろきょろ見回し、自分の考えに動揺した。


自宅に戻った泰正は挙動不審になり、ろくに衛の顔を見ることができなくなった。衛が犯人だったらと思うといてもたってもいられず、悶々《もんもん》として部屋中を歩き回った。胸がドキドキして落ち着かないので、庭の草むしりをすごい勢いでやった。一心不乱に草むしりをしていると衛に「大丈夫?」と声をかけられた。

「だ、大丈夫だ。お前こそ大丈夫か?」

縁側から声をかける衛に、振り向かずに泰正は答えた。冷や汗が流れ出て、衛の顔を見ることができない。

「大丈夫って何が? 俺は心配されるようなことないけど」

衛の声が、いぶかしげだ。手伝いが必要かどうか聞いてきただけらしい。泰正は去っていく衛の背中をこっそり見て、流れ出る冷や汗を拭いた。犯人かどうか直接衛に聞けばいいのだが、もしもそうだと言われたらショックすぎるので聞けずにいた。

衛が犯人のはずはないと思うのだが、衛は時々泰正のことになると度を越す。変な連中に目をつけられやすい泰正を、いつでも身体を張って守ってくれたのは衛だ。口論になって美貴本を殺害してしまったら……。悪い考えが浮かんでは消え、その日は一睡もできなかった。もし衛が美貴本を殺したとしても、それは泰正を守ろうとしたからに他ならない。何がなんでも警察には渡すまいと決意して、衛と腹を割って話し合おうと決めた。

「警察が事情を聞きたいって言ってるから、ちょっと行ってくるよ」

決意したとたん警察から衛が呼び出されたと知り、泰正は真っ青になった。これはいわゆる任意同行というやつだ。刑事ドラマを見たことがあるので知っている。泰正たちと違い、ワンランク高い容疑者扱いだ。このまま衛は帰ってこない。そんな思いに駆られて、泰正は出かけようとして麻のジャケットを着込む衛の腕を摑んだ。

「衛、俺と逃げよう！」

泰正の悲痛な表情に衛は呆れて「はあ？」と眉を顰《ひそ》める。悠長に朝食のコーヒーを淹《い》れている衛が焦《じ》れったくて、泰正は衛の身体を揺さぶった。

「早く逃げないと追手が来る！　コーヒーなんてどうでもいいから早く!!」

泰正はこれ以上ないくらい焦っているのに、衛はすぐに動こうとしない。それどころか面倒くさそうに泰正の腕を振り払い、朝食のパンをトースターで焼いている。

「今度はなんの遊びなんだよ。兄さん、ごっこ遊びはおじいちゃんとやってよね。俺はそういうノリ、ついていけないから」

泰正の心配など露知らず、衛は焼いたパンをテーブルに運んでいる。衛の平静と変わらない様子を見て、衛は犯人じゃないという気がしてきた。生まれた時から一緒なのだ。衛が嘘をついたらなんとなく分かる。だとすれば衛は無実――しかし任意同行を求めるなんて、山田は衛を疑っているのかもしれない。警察の恐ろしい話は聞いている。無実なのに拷問《ごうもん》されて自白を強要されたら――泰正は次々と怖い考えに支配され青ざめた。衛を無理やり逃亡させるには泰正は非力だ。車の運転もできないし、逃亡資金もない。衛を守るためにはどうすればいいか――泰正は奥の手を思いついて拳《こぶし》を振り上げた。

「分かった、それじゃ俺が山神に頼んでくる！」

二鬼山《ふたおにやま》の祠《ほこら》に行って、衛を守ってもらうよう頼んでこよう。そう決意して泰正が叫ぶと、サッと顔を強張らせて衛が朝食の手を休めた。

「兄さん、何言って……」

「きっと山の神様ならなんとかしてくれるぞっ」

衛に背中を向け、泰正は家を飛び出した。軽トラにカゴを積もうとしていた母が、家を出ていく泰正に声をかけてきたが、あとで行くと叫んで背中を向けた。

「兄さん、待って！」

衛の鋭い声が後方で聞こえたが、泰正は気にも留めず走り続けた。

二鬼山の奥には、小さな祠がある。小さい頃から頼みたいことがあると、泰正はいつもそこに行ってお祈りをした。亡くなった祖母の話では二鬼山には山の神様がいて、山を守っているという。本当はこの辺りに神社があったのだが、山崩れが起きて大半は土の中に埋まってしまったらしい。今は祠だけが置かれた寂しい場所だ。

泰正は小さい頃神隠しに遭い、山で発見された。そのせいかどうか知らないが、泰正は山に行くと水を得た魚のように元気になる。自分が本来いるべき場所という気がしてくるし、山から生気をもらっているみたいに疲れ知らずになり力が湧いてくる。泰正にとって山は母のように優しく自分を包み込んでくれるものなのだ。

二鬼山の奥の祠でお願いごとをすると、たいていのことは叶う。だから泰正は本当に頼みたいことしかお願いしない。時々神谷村の住人に山神にお願いしてくれと頼まれるくらい、ここの神様は力が強い。そういえば美貴本に苦しめられた時、泰正はあの男の顔を見たくないと祠にお願いをした。今思えばそう願った直後に、美貴本は姿を消した気がする。

山道をぐんぐん駆け抜けていた泰正は、ぬかるみに足をとられそうになった。朝方少し雨が降ったので、地面が湿っている。勾配《こうばい》のきつい道に出ると、走るのをやめた。

山には春の花が咲いている。斜面に沿って岩の隙間から黄色い小さな花が風に揺れているのが見えて、歩く速度を弛めた。曲がりくねった上り坂にはところどころ石の階段があり、泰正は一つ飛ばしで上を目指した。今日は風が強く、時々甘い香りを漂わせている。

二股に分かれた道の、細い獣道を迷わず進んだ。頂上に向かうルートは地面が均《なら》してある太い道のほうで、看板に矢印がつけられている。この看板は泰正が小さい頃からあるが、時々新しいものになっているところを見ると、誰かがとり替えているようだ。細い獣道は地元民だけが知っている山の奥深くに分け入る道で、祠はこの先にある。

(そういえば祠って鬼沢村《きざわむら》の人が建てたのかな?)

今まで考えたこともなかったが、祠のある場所は鬼沢村に近い。祠に鬼沢村の名が書かれたお供え物らしき酒瓶があったこともあるし、ひょっとして鬼沢村には祠を守っている者がいるのかもしれない。

軽い足どりで先を急ぎ、泰正はようやく祠についた。

雑草が生い茂る小道の先に、小さな祠がある。褪《あ》せた色の細い綱の先に、あまり音の鳴らない小さな鈴がついている。泰正は両手を合わせて山神に衛を助けてくれるよう頼み込んだ。お祈りを終えると、格子《こうし》の隙間から祠の中を覗く。いつも薄暗くてよく見えないが、祠の中には二匹の鬼の絵がある。赤い身体の鬼と青い身体の鬼だ。赤い鬼に青い鬼が身体を食われているという悲惨な絵で、二鬼山の伝説を描いたものだ。祠の後ろには岩と石が崩れてこんもりとした丘ができている。昔は洞穴《どうけつ》があって、そこに小さな神社があったとか。土砂崩れがあって大半が埋まった際、二匹の鬼の絵だけが無事で、それを飾ることで祠として復元したのだそうだ。

お参りをすませて帰ろうと思った泰正は、歩き始めてすぐ足をすくませた。

道の先に首なし男がいた。

大きな身体で道をふさぎ、威嚇するように両手を上げている。泰正はとっさに木の陰に隠れ、急いで反対の道を走った。あまり使いたくない道だった。鬼沢村に続く道だ。

首なし男はどすどすと地面を踏み鳴らして歩いてくる。顔がないせいか、時々木にぶつかっているので、全力で走れば逃げられるだろう。とはいえ、このままでは神谷村に帰れない。この道は一本道なのだ。

泰正は後ろを振り返りつつ、首なし男に追い立てられるように鬼沢村への道を走った。


どこからか甘い香りが漂っている。

泰正はぼーっとした頭で道を歩き、眠くなって目を擦った。首なし男の姿があったので仕方なく鬼沢村に続く道を進んでいるが、甘い香りが脳を支配して思考がはっきりしなかった。下りの道を進んでいるので、おそらく下山しているのだろう。そのうちなんで歩いているんだっけ、ということさえ分からなくなり、泰正はとうとう足を止めてしまった。

草むらが広がっている場所が、泰正の目には緑のじゅうたんに見えてきた。眠いからここでちょっと寝よう。そう考えて、泰正はごろりと横になった。

湿った感触が剝きだしの腕や首、頰を撫でる。草についた露が泰正にひんやりとした心地よさを与えた。太陽は暖かな光を泰正に注いでいる。猛烈な眠気に襲われて、泰正は目を閉じた。

どれくらい経っただろう。自分の名前を呼ぶ声が聞こえて、泰正は薄目を開けた。

「兄さん！　しっかりして！」

やけに視界が暗いと思ったら、衛が覆いかぶさって太陽を隠している。衛は口元をハンカチで覆っていた。その目は潤んでいる。

「衛か……。どしたん」

動くのが億劫《おっくう》で、泰正は大きなあくびをして泰正の腕に手を巻きつけた。

「兄さんを追いかけてきたんだよ！　見つからなくて……、まさかと思ってこっちを捜しに来たら兄さんがこんなところで寝ていて……」

衛は泰正の身体を揺さぶっている。衛はよく泰正を追いかけてくるので、行動パターンが読めるのかもしれない。

「そーなんだ……」

ふわふわして気持ちよい感じが持続している。泰正はとろんとした目で衛を見上げ、何か言おうと思って口を開けた。何も思いつかない。結局口を閉じて衛の腕に頰を擦りつけた。

「兄さん……、俺、やばい……」

眠さと心地よさを感じている泰正と違い、衛は息が荒く、苦痛を感じているような声を出した。衛の様子がおかしいのが気になって目を開けると、苦しげに胸をかきむしっている。

「大丈夫か？」

遅まきながら事態の異常さに気づいて、泰正は物憂げに身を起こした。甘い香りは鬼喰《おにく》い草《そう》のものか。風に乗って流れてきている。

「衛……」

泰正が衛の顔に手を伸ばすと、びくっとしたように弟の身体が震えた。衛は汗を掻いていて、身体が熱くなっていた。それまで口元を覆っていたハンカチを落とし、はぁはぁと荒い息遣いで地面に手をついた。

「クソ……、駄目だ、駄目なんだ……っ」

衛は苛立たしげに雑草を引き千切り、よろめくように立ち上がった。衛が心配で泰正も急いで身体を起こし、衛のジャケットの裾を握りしめた。ところが力が入らない身体は草むらに倒れ込み、そのまま衛の体勢まで崩してしまった。

「わ……っ」

衛も足にきていたのかもしれない。泰正に引っぱられ、雑草に足を滑らせる。もつれ合うようにして倒れたため、衛の身体が泰正の身体の上にのしかかる状態になった。自分より上背も体重もある弟に乗っかられ、泰正は重くて呻《うめ》き声《ごえ》を上げた。すぐに退《ど》いてくれると思ったのに、衛は息を喘《あえ》がせ動かない。

「兄さん……」

上擦った声で呼ばれ、泰正は覗き込んでくる衛の目を見つめた。衛の目は濡れたように光っていて、いつもと違った。それが何故かを確認する前に、唇が柔らかいもので覆われた。

「んんん……、う」

少し驚いてくぐもった声を出すと、衛が重ねていた唇を強く吸ってきた。衛にキスされている。頭の隅でそう思ったが、嫌悪感はなかったので泰正は抗わなかった。衛は一度唇が触れると、箍《たが》が外れたみたいに夢中になって泰正の唇を吸ってきた。

「兄さん、兄さん……」

衛は何度も何度も唇を吸って、布越しに手を這わせてくる。唇がふやけそうになるくらい衛は泰正の唇を吸ったり噛んだりしてきた。荒い息遣いが耳に響き、衛の大きな手が長袖《ながそで》Tシャツの上から泰正の上半身を撫でる。

衛の指先が幾度も上半身を這いまわったせいで、乳首がぷくりと硬くなった。布越しでも分かったのだろう。衛の手は硬くなった乳首で止まり、執拗《しつよう》に引っ掻いてくる。

「ん、ん……っ」

乳首を布の上からカリカリとされているうちに、妙に気持ちよくなってきて、泰正は鼻にかかった声を漏らした。そんな場所が感じるなんて知らなかった。もっと弄《いじ》ってほしくて、身をくねらせる。それに応《こた》えるように衛の指が長袖Tシャツの裾から潜り込んできて、泰正の乳首を摘んできた。

「あ……っ」

直接の刺激は強烈で、泰正は衛とくっつけていた唇を離して仰《の》け反《ぞ》った。女性みたいな甘ったるい声が出た。泰正も驚いたが、衛はもっと驚いたようで、目つきが怖くなる。

「兄さん、気持ちいいの……？」

衛はふだんと違う獣じみた顔つきになって、摘んだ乳首をぐりぐりと乱暴に弄ってきた。痛いはずなのに気持ちよさが上回って、泰正は身をすくませた。

「そこ、すごい感じる……、はぁ……っ、あ……っ」

泰正がもどかしげに訴えると、衛は理性の糸が切れたみたいに、泰正の着ていた長袖Tシャツを咽《のど》の辺りまでまくり上げてきた。下に何も着ていなかったので、素肌が外気にさらされる。

「兄さんの乳首、ピンク色だ……。綺麗だな……」

うっとりした声を出して、衛が泰正の乳首に吸いついてきた。ちゅうっと音を立てて吸われて、赤ちゃんみたいだと思ったのは最初だけだ。衛は甘い果実でも食べるみたいに、泰正の乳首を激しく吸い立ててきた。ぞくぞくっと電流みたいな甘い感覚が腰に伝わって、泰正は息を喘がせた。

「は……っ、あ、あ……っ」

衛は泰正の平らな胸をかき寄せて、舌で転がしたり、甘く嚙んだりする。しだいに理性が飛ぶくらい気持ちよくなって、泰正は身体をひくつかせながら掠れた声を上げた。衛はもう片方の乳首も、指でこねまわして刺激を与えてくる。両方の乳首をしつこく責められ、泰正は熱い息をこぼした。

「やぁ、あぁ……っ、あ……っ、あ……っ」

乳首を弄られているだけなのに強烈に感じて、下腹部が張りつめていく。乳首は衛の唾液で濡らされ、妖《あや》しくぬめっている。衛が乳首から顔を離して首のところで溜まっていた長袖Tシャツを首からすっぽ抜くと、両方の乳首がぴんと尖《とが》っているのが見えて無性に恥ずかしかった。

「すごい……、兄さんのここ……、大きくなってるね」

ズボンの上から下腹部を握られ、下着の中がぐっしょりとしているのに気づいた。泰正はびっくりして真っ赤な顔を衛に向けた。衛は興奮した息遣いで、泰正のズボンを引きずり下ろす。青空の下、泰正の身体は下着一枚になっていた。感じているとは思っていたが、自分の下着が精液でどろどろになって色を変えているのが見えて、かーっと耳まで熱くなる。

「こんなに濡らしてたの……?」

食い入るように下腹部を見て、衛が声を上擦らせる。

「衛……、ズボン返して……」

下腹部を手で隠して情けない声を出すと、衛はズボンを返してくれるどころか泰正の手を強引に振り払った。

「可愛い……、すごい可愛いな」

衛の荒い息が下着の上から降ってくる。なんだかとんでもなくやばいことをしているのにようやく気づき、泰正は潤んだ目で衛を見た。中学生の頃、衛と花畑の近くで互いの裸を擦り合ったのをまざまざと思い出す。あの時はまだ二人とも未熟で、稚拙《ちせつ》な交わりだった。だが今日の衛は強い力で泰正を下に押さえつけている。

「こんなにどろどろにしてたの……? お尻まで濡れてる……」

泰正の細い腕を片方の手で束ねて、衛が軽々と下着をずらしてくる。もしかして一度達してしまったのだろうかと思うくらい、下着は汚れていた。勃起《ぼっき》した性器から尻のほうまで濡れている。

「兄さんのお尻、久しぶりに見たな……。小さい頃と変わらない、すごく可愛い。どうして同じ男なのにこんなに柔らかいんだろう」

衛は無理やり泰正の両足を抱え上げ、お尻を天に向けてきた。苦しい体勢に呻いていると、衛の手が袋を撫でながら下へ移動する。

「ひゃ……っ」

衛の指が尻のはざまをぬるぬると擦りつけてくる。あまり意識したことのない場所なのに、衛の触り方がいやらしくて変な声が上がった。性器を擦ってくれればいいのに、何故か衛は泰正の尻の穴辺りを何度も往復する。

「え……っ？」

尻のはざまを滑っていた衛の指が、つぷりと穴の中へ入ってきた。間違えて入れてしまったのだろうかと泰正が鼓動を速めていると、指は出ていくどころかどんどん奥へと侵入してくる。泰正は身悶《みもだ》えるようにして足をじたばたさせた。

「衛……、指が入っちゃってる……っ」

それ自体が別の生き物みたいに、衛の指は内壁を探ってくる。衛の行動が理解できなくて、泰正は焦って身体をくねらせた。指摘すれば抜いてくれると思ったのに、衛は乱れた息遣いで中に入れた指をぐりっと動かしてきた。

「ひ……っ」

得体の知れない感覚が沸き起こり、泰正はびくりと身をすくめた。逃げ出そうとして暴れると、衛は動けないように両方の足を押さえ込んで、指を出し入れする。

「な、な、何して……っ、衛ぅ……、うう……」

衛は泰正の言葉に反応しなくなり、何かにとり憑《つ》かれたみたいにひたすら尻を弄《まさぐ》っている。衛の指が内部で律動し、奥の電流が走る場所をごりごりと弄る。訳が分からなくて気持ち悪いと思う半面、泰正の唇からは聞いたことのない甘い声が次々とこぼれた。

「ひあ、あ……っ、あ……っ、やぁ、あ……っ」

衛が尻に入れた指を激しく出し入れすると、抑えきれない甲高い声が漏れた。ぐちゅぐちゅと濡れた音を響かせ、衛が泰正の身体の奥を突いてくる。いつの間にか指が増え、入れた指で内壁を強く押される。

「やあ……っ、あ……っ、こ、怖い、そこ、怖い……っ」

逃げたくても押さえつけられた状態で尻の奥を指で突かれ、泰正は泣き声に近い声で訴えた。経験した覚えのない快楽は怖ささえあって、泰正は爪先を震わせた。そんな泰正を見て衛は余計に興奮して指を動かしてくる。

「ひ、ぃ……っ、ひ……っ、う、あああ……っ」

びくびくっと身体が震えたかと思ったとたん、性器から白濁した液体が噴き出てきた。前を擦ってもいないのに射精したのは初めてだ。泰正は激しく呼吸を繰り返し、たらたらと汁をこぼす性器の先端を見た。

「イったの……？　兄さん、お尻でイったの……？」

泰正の胸や腹にかかった精液を見て、衛がごくりと唾を飲み込む。泰正はろくにしゃべれず、はぁはぁと胸を喘がせ身体をひくつかせた。

「兄さん……」

衛は乾いた唇を何度も舌で舐《な》めて、足首にかかっていた泰正の下着を引き抜いた。そして自分のベルトを外し、ズボンをずり下ろしてくる。下着の中から出てきた衛の性器を見て、泰正はぶるりとした。腹につきそうなほど反り返った衛の性器は、大きくて長さもある。中学生の時に見たのが最後だから、こんなに成長しているとは思わなかった。陰毛も濃いし、まるで凶器だ。

「や、やだ……」

腰を引き寄せられて、鈍い泰正も何をされるのか分かった。そんなもの入るわけがないと拒否しようとしたのに、理性を失っている衛は否応なく泰正を組み敷く。

「ひ、あああ……ッ」

暴れる泰正をうつぶせにして跨《また》がってきた衛は、制止の声もきかず、泰正の尻の穴に怒張した性器を押しつけてきた。大きすぎて無理だと思った性器を、衛は容赦なく押し込んでくる。

「あ、うう、あ……っ、ひ……っ、ひ……っ」

初めて男の性器を内部に受け入れた泰正は、切れ切れに声を上げた。狭い穴を大きなカリが潜り込んでくる。熱くて痺れるような、痛みとも快感ともつかないものがぐいぐいと奥に侵入してくる。異物は硬く張りつめているようでいて、柔らかい部分も持ち合わせている。衛の腕が泰正の腰を捕まえ、嫌がる泰正の奥を犯してきた。

「あうぅ……っ、はー……っ、はー……っ」

半分ほど入ったところで衛が動きを止め、背中から密着してくる。泰正は目の奥がチカチカして呼吸を繰り返すことしかできずにいた。お尻に何か大きなモノが挟まっている。熱くて抜けない楔《くさび》のようだ。鬼喰い草の匂いで痛みが和らいでいるのか、こんな大きなモノが入っているのに思ったよりも痛みはなかった。

「すごい……、兄さんを犯してる……」

泰正の腰を捉《とら》えていた衛が、掠れた声で呟いた。犯されているのか、俺は。その事実に頭が混乱して、泰正は前のめりになった。するとそれを追うように、衛が腰をずんと打ちつけてきた。

「ひああ……っ」

ずずっと深い奥まで犯され、泰正はあられもない声を上げた。男に犯される感覚は強烈だった。身動きがとれないし、身体の内部に他人の性器が入っているという感覚がありえない。

「ひ……っ、ひ……っ」

衛は一度動き始めると、止められなくなったみたいに激しく律動してきた。入れられる感覚も強烈だが、内部を律動される感覚はもっとすごかった。声が抑えられないし、身体は震えるし、いつ衛が止めてくれるか分からなくて怖くなる。

「ひあ……っ、あっ、あっ、あっ、やぁ、あぁ」

突かれるたびに声を上げていると、急に内部で性器が大きくなり、次にはどろっとした液体が注ぎ込まれた。何がなんだか分からなくて、泰正は地面に肘をついて、太ももを震わせた。

「はぁ……っ、はぁ……っ、すごい……何これ……」

荒く息を吐きながら衛が呻く。中で射精されたのを知って、泰正は呆然として頭を地面に擦りつけた。

「兄さんのお尻、気持ちいい……、おかしくなりそうだよ」

肩で息をして、衛が泰正の腰を撫でた。やっと抜いてくれると思ったが、衛はろくに休みも入れず、再び腰を突き上げてきた。

「ひ……っ、はぁ……っ、あっ、あっ、嘘」

硬さを保ったまま、衛は泰正の尻の奥を性器で擦り上げる。中で出されたせいか、衛が動くたびに濡れた音が響き渡る。泰正は目眩《めまい》を感じて、朦朧《もうろう》とした。

「兄さん、どうして感じてないの……？　さっきみたいにお尻でイってよ……、俺のやり方が悪いの……？」

腰を動かしつつ衛が不満げな声を出して泰正の下腹部に手を伸ばす。泰正の性器は勃起していたが、異物感のほうが強くて射精には至らなかった。衛はそれに苛立った様子で、突き上げる角度を変えて、硬いモノで内部を探る。

カリの部分が奥のもっとも感じる場所を、ずくりと突き上げる。

「あ、ひ……っ、は……っ、あ……っ、そこ、やだぁ……っ」

泰正が乱れた声をこぼすと、衛が目を光らせ、その一点を集中して攻め始めた。最初は圧迫感で苦しかったはずなのに、感じる場所を何度も擦られているうちに、急激に腰が熱くなっていく。身体が

おかしくなっていた。

「やぁ……っ、あ……っ、ひ……っ、やー……っ」

先端がぐりぐりと押しつけるようにねじ込まれると、悲鳴じみた嬌声《きょうせい》がこぼれた。気づけば快楽のほうがよっぽど勝っていて、性器の先端からは先走りの汁とも精液ともつかぬものがだらだらとこぼれ落ちていた。銜《くわ》え込《こ》んだ衛の性器を、内壁がきゅうっと締めつける。衛の気持ちよさそうな吐息が耳をくすぐる。

「兄さんが感じてる……、俺に犯されて感じてる……可愛いな、すごく可愛い」

うっとりとした声で衛が囁《ささや》き、繋《つな》がった状態のまま耳朶《みみたぶ》に舌を差し込んできた。甘く噛まれ、耳朶のふっくらした部分を音を立ててしゃぶられる。

「兄さんって、こんなにいやらしかったんだね……」

耳朶に唇をつけながら囁かれ、違うと言いたいのに唇からは喘ぎ声しか漏れない。お尻が気持ちよくて、身体中の感覚がおかしかった。衛の性器が熱くて、どくどくと息づいているのが心地よくてたまらない。突き上げられるたびに脳天まで痺れるような快感がある。

「気持ちいいの？　兄さん……こんなに乳首尖らせて……」

衛の手がしこった乳首をわざと引っ張ってくる。それだけで達してしまいそうなほど気持ちよくて、泰正は生理的な涙を流した。

「はぁ……っ、はぁ……っ、うん、気持ちいい……っ、いいよ……ぅ……っ」

舌足らずな声で告げると、衛の唇が首筋を強く吸ってくる。何もかもに感じて、失神しそうだった。

性器はどろどろでいつの間にか何度も達していたのを知った。下半身に力が入らない。衛が突き上げるのにつられ、揺れている。

「ねぇ、もっとお尻締めつけて……、中で出すから」

首筋に衛の眼鏡《めがね》が当たっている。衛が齧《かじ》るように肩を食《は》む。泰正はブルブル震えて地面にべったりとくっついた。

「もう力入んない……、あ……っ、あっ、ひぁあ……っ!!」

ずるりと抜けていった衛の性器が入口の辺りで止まる。次の瞬間には一気に奥まで押し込まれ、泰正は四肢を突っぱねた。衛は再び入り口まで引き抜き、ずんと根元まで入れる動作を繰り返す。

「やー……っ、やー……っ、あー……っ」

大声を上げないと快感に支配されそうで怖い。泰正は狂ったように嬌声をこぼした。

「兄さん、中で出すよ……っ」

荒い息をしながら、衛が呻くように言う。衛は今度は乱暴な動きで、内部を激しく突き上げてきた。ずぷっ、ずぷっという卑猥《ひわい》な音がお尻からする。内部が火傷《やけど》しそうに熱くなり、泰正は衛の動きを後ろ手で止めようとした。

次の刹那《せつな》、身体の奥に大量の精液が吐き出された。衛の匂いに脳まで犯され、泰正は朦朧として草むらに倒れ込んだ。

気づくとゆらゆらと身体が揺れていて、泰正は重い瞼《まぶた》を無理やりこじ開けた。

いつの間にか日は暮れていて、空が赤く染まり始めている。泰正は衛に背負われ、山道を神谷村に向かって下山していた。水が流れる音が聞こえる。全身がだるい。まだ半分夢の中にいるようで、頭はぼんやりするし腕を動かすのも怠い。衛は岩でできた階段を慎重な足どりで上っていた。

「衛……重くない？」

泰正が身じろいで声をかけると、衛の背中がびくりと揺れる。

「……」

衛は無言で小川の傍まで足を進め、ゆっくりとした動作で泰正を岩に下ろした。自分の足で立とうとした泰正は、下半身に力が入らなくてカクリとその場に座り込んだ。

「あれ……」

「兄さん、ここにいて」

戸惑った顔の泰正の肩を優しく叩いて、衛が足元の岩を越え水が流れている小川まで近づく。衛は岩と岩の隙間の清水が流れる隙間に手を伸ばし、ポケットから出したハンカチを浸す。ぼんやりとした顔で衛の背中を見ていた泰正は、濡れたハンカチを手に戻ってきた衛に首をかしげた。

「なぁー衛、お前……」

「兄さん、ちょっとズボン下ろして」

戻ってきた衛はそっぽを向きながら、低い声で促す。なんでかと聞こうとしたが、下腹部の違和感に気づいて泰正はのろのろとズボンを下ろした。お尻が気持ち悪い。

「な、なんか垂れてきてる……」

下着がどろりとしたもので汚れていて、泰正は真っ赤になった。粗相したのかと思ったが、衛が苦しげにうつむいたのでようやく記憶が戻ってきた。

草むらの上で衛と交わったのだ。気持ちよくて刺激的な体験だった。今までこんな経験はしたことがない。

「ごめん……」

衛がつらそうな声を出したので、泰正はびっくりして目を丸くした。衛は唇を噛み、うつむいたままだ。衛が何を謝っているのか分からなくて、泰正は下着を下ろしながら明るく笑った。

「な、なんだよー。衛、なんでそんな怖い顔してんだ？」

場を和ませようと思って笑ったのに、衛はにこりともしない。それどころか余計に苦しそうな表情になっていく。

「……中にまだ残ってるんだろ？　……指、入れるよ」

衛は濡れたハンカチで泰正の尻を拭い、言葉の後に指を中に入れてきた。何度も衛に性器を入れられた場所だ。今も入っているような違和感が残っているし、現にまだ弛んでいたのか衛の指は難なく入ってきた。

「力入れて、兄さん」

衛に促されて、恥ずかしかったが、しゃがみ込んでお尻に力を入れた。どろっとした固まりが尻からこぼれる。それを助けるように衛の指が精液を掻き出していった。今さらながら下着が汚れていたのは、中に出された衛の精液がこぼれてきたのだと分かった。

「ごめん、最低だ……。兄さんを犯すなんて、絶対にしちゃいけなかったのに……」

背後に回った衛が掠れ声で呟いている。

「俺は別に……。なんで衛、そんなショック受けてんだよ。また花のせいでおかしくなっただけだろ。俺、気持ちよかったし……そんな謝らなくても」

深刻に悩んでいる衛に焦り、泰正はわざと明るい声を出した。

「違うよ、花は……花の匂いで理性は切れたけど、そういうことじゃないんだ。俺は本物の変態だってことだよ。実の兄に欲情したんだ。今だってそう、もう花の匂いはしないのに、俺は欲情してる……」

泰正の尻の奥に入れた指を止めて、衛が苦しそうな声を上げる。泰正がどきりとして背後を振り返ると、それを厭うように衛は顔を背け、ハンカチで尻の穴の周辺を拭いてくれた。

「最低だよ。俺なんか死んだ方がいい、兄さんが何も分からないのにつけ込んで……。ごめん、俺を殴ってくれ」

泰正の下着を綺麗に拭い、衛は身づくろいを整えた後に土下座してきた。泰正は慌てて衛の腕を引っ張り、深刻な顔をしている衛を元気にしようとした。

「だから謝る必要なんかないってば。俺、ぜんぜん嫌じゃなかったぞ。そりゃあ、ちょっとびっくりしたけどさぁ……。気持ちよかったし、別にいーじゃん。そんな暗くなるほどのことか？」

衛がこれほど落ち込んでいるのは初めて見たので、泰正は元気づけようと必死だった。衛は泰正が何を言おうが強張った表情のまま地面を見ている。

「兄さん……それじゃ駄目なんだよ」

喘ぐように呟いた衛が、眼鏡をとり、目元を二の腕で擦った。泰正はどきりとした。衛が泣いていると思ったのだ。それを確かめる前に衛は再び眼鏡をかけ、力なく立ち上がった。

「俺はやっぱり兄さんの傍にいちゃいけないんだ……」

後悔を滲《にじ》ませた声で衛が告げ、泰正は動揺してよろめくようにして立った。

「な、なんだよ、それ。おい、衛ってば……っ、どういう意味……っ」

傍にいてはいけないなんて、聞き捨てならない言葉だ。泰正は衛の後を追うようにして岩を下りた。

衛は泰正がもう一人で歩けると踏んだのか、暗い顔で下山し始める。

「衛、おい……っ。おいってば……っ」

衛は重い足どりでひたすら地面を見て歩いている。いつもなら飛ぶように帰る泰正だが、身体が不調で衛の後を追うので精一杯だ。衛はまったく笑顔を見せない。あまりにも暗い雰囲気に泰正は不安でたまらなくなった。

結局帰宅するまで衛は一言も口をきいてくれなかった。重苦しい顔で戻ってきた泰正と衛を見て、母がどうしたのと尋ねてきた。

「母さん、俺は明日東京に戻るよ。夕飯はいらない、食欲がないんだ」

衛は母と目も合わさず部屋に引きこもってしまった。

「どうしたの？　何かあったの？」

テーブルに用意された夕食の傍で、母が心配そうに聞いてくる。

「分かんね……。俺も」

泰正には衛の気持ちがまったく分からなかったので、そう答えるしかなかった。腹が減っていた泰正は、衛の分まで夕食を平らげ、汚れた身体を洗うために風呂に入った。尻だけではなく身体中がべとべとしている。それに虫に喰われたのかいくつも赤い痕が残っていた。あんな草むらで裸になったからだ。

衛のつらそうな様子を思い出すにつけ、泰正まで苦しくなった。衛とした行為がよくないものらしいというのは泰正にも分かった。けれど何故いけないのか、何が悪かったのか教えてくれないと対処できない。

もやもやとした気分が拭いきれず、泰正は風呂を出た後、武蔵《むさし》の部屋に行った。武蔵は部屋で気功をしている。スローな動きで型を作る武蔵を眺め、泰正は座布団の上に正座した。

「じいちゃん、兄弟ってエッチなことしちゃ駄目なのか？」

泰正のストレートな質問に武蔵の平衡を保っていた腕がぶれた。武蔵は呆れたような目で正座する泰正を見下ろし、片方の足をゆっくり上げる。

「当たり前じゃろ。大昔は別として現代社会ではタブーじゃな」

「ええー、でもじいちゃんが借りてくるビデオって兄妹が多いじゃん。女のほうがしょっちゅうお兄ちゃんって言ってるぞ」

不満げに泰正が唇を尖らすと、武蔵の足が泰正の横っ面を蹴り倒した。泰正は畳の上に転がって、赤くなった頬を押さえて起き上がる。

「いてぇよ！」

「あれはわしの趣味じゃーい！　いいか泰正、決して衿子《えりこ》さんに言うでないぞ。タブーだから萌えるんじゃろが。大体エロビデオの二人は本物の兄妹じゃないわい。演じてるだけ！」

「そうなんだ？」

武蔵は母にエロビデオを見ているのを知られたくないようだ。

「よいか泰正。家族は性行為を行ってはいかんのだ。もし子どもができたら血が濃すぎるから奇形児が生まれる可能性もある。大体法律で結婚できるのは従兄弟《いとこ》からと決まっておる。つまり世間では兄弟姉妹は健全に過ごさねばならん。むう、ちょっとわしの色物趣味につき合わせすぎたか。わしには妹がおらなんだから憧《あこが》れがあったのじゃ。お兄ちゃんと呼ばれたかった。そういえば熟女シリーズが好きだったせいで、お前が妙齢のご婦人にプロポーズしたんじゃないかと衿子さんに怒られたこともあったわい……」

気功をやめて、真剣な顔になった武蔵が泰正の前であぐらをかく。兄弟で愛し合うことは世間一般では許されない行為なのだと初めて知って、遅まきながらショックを受けた。衛があれほど落ち込むわけだ。

泰正はようやく理由が分かって、しょげた顔で武蔵の部屋を後にした。

衛は明日東京に戻るという。泰正の傍にいてはいけないと自分を戒めるような発言をしていた衛。

もしかしてもう二度と戻ってこないのではないかと心配になった。

どうすれば衛と仲良くやれるのだろう。泰正にとって大切なのは世間でも法律でもない。大事な弟が明るく過ごしてくれることだ。

自室に戻り悶々と悩み、泰正は長い間たった一人の弟について考えていた。


翌日、泰正のとった行動は、単純なものだった。

俺もついていこう。そう決意し、大きなバッグに荷物を詰め込む。父に車で空港まで送ってもらおうとした衛が、一緒に乗り込んだ泰正を見てうろたえた。

「兄さん、何をしているの!?」

衛は強張った顔でまるで泰正を非難するみたいに声を荒らげている。事実、車から降ろされそうになって、泰正は必死で車にしがみついた。

「俺も行くぞ！　とーちゃん、俺しばらく衛のとこに行くから！　かーちゃんがチケット予約してくれたし、今度は自分の意思で行くんだからな！」

衛に車から引きずり落とされそうになりながら宣言すると、父は頼もしげに笑って車のエンジンをかけた。

「ははは、お前がここを出ると決めるなんて珍しいな。行ってきなさい」

「父さん！」

後部席で攻防を繰り広げている泰正たちを気にもせず発車させた父に向かって、衛が悲鳴に似た声を上げた。のどかな田園風景を、車が颯爽《さっそう》と走る。車の速度が上がると、衛も観念して泰正を降ろすのは諦《あきら》めたようだ。

「兄さん、何を考えてるの？　俺は兄さんと離れるために帰るんだよ。兄さんがついてきたら意味がないだろ」

忌々しげに腕を組み、衛が吐き出す。

「俺は離れる気なんてないぞ……。お前がなんて言おうと」

バッグを抱きかかえ、泰正はムッとした声を出した。

「つーかお前だって昨日警察に呼ばれたのに、東京に行っちゃっていいのか？　指名手配されても知らないんだからな」

昨日のことを思い出し、泰正はこわごわと確認した。今さらだが勝手に移動してしまって大丈夫なのだろうか。

「誰が指名手配だって？　大体昨日は兄さんが勝手に早合点しただけだろ。俺は県警に呼ばれてなんてない。近くの駐在所に行って事情を話してきただけだよ」

「そうなのか？　でもお前……昔、顔を腫らして帰ってきたことあっただろ。美貴本に殴られたからじゃ……」

衛が犯人ではという疑惑が蘇り、泰正は揺れる車の中で窺《うかが》うように見た。

「よく覚えているな。あれは……違うよ。確かに殴られたけど、わざと殴られたんだ。それで医者に行って写真撮って、未成年に暴行を加えたってことで警察に訴えるぞって美貴本を脅《おど》したんだ」

遠い目つきで衛が語り、泰正はあの頃弟が自分のためにしてくれた行為を知った。昔から頼りになる弟だと思っていたが、泰正の知らぬ間に守っていてくれたのだと思うとじんと胸が熱くなる。

「衛ぅ……」

照れながら笑って衛にくっつくと、衛が大げさに身体を震わせ、身を引く。

「だからやめろよ、そういうの……」

衛は顔を背けているが、一瞬その表情が弛んだ。衛が離れると言った時は寂しかったものの、衛の愛情は自分に注がれているのが分かって、泰正はにこーっとした。

「俺、衛が好きだぞ」

思わずぽろっと言葉が漏れると、衛がハッとして険しい顔を向けてきた。衛が怖い顔をしているのが気になるが、その言葉は嘘ではないので続けた。

「駄目でも好きは好きじゃん。今離れたら衛は遠くへ行っちゃう気がするから、ついていくんだ……」

衛の視線が痛いほど突き刺さってきて、最後のほうは語尾が弱くなった。少し弛んだと思った衛の顔がまた険しくなってしまった。衛の感情の起伏が激しすぎて、何がよくなかったのか察することができない。

「兄さん……」

衛が泰正の顔を見つめ、悲しげに呟いた。哀れみとも苦痛ともとれる声だった。これ以上会話を続けるともっと悪い雰囲気になりそうで、泰正は黙ってバッグを抱きしめた。

衛には分からないかもしれないが、緑であふれる神谷村から出ていくのは、泰正にとってかなりの苦痛だ。それでも今は弟の傍にいたかった。それがたとえどんな道だとしても。

空港で父と別れてから、衛は思い詰めた表情のまま無言になってしまった。前回と違い手助けしてくれなかったので、搭乗するのにあれこれ手間どった。つい先日のこととはいえ空港内のどこに行けばいいのか理解するのに時間がかかる。もたもたしていては置いていかれるので、衛のやり方を参考にしながら懸命に後をついていった。

どうにか飛行機に乗れて離陸すると、昨夜眠れなかったのもあってぐっすり眠り込んだ。電車と違って乗り過ごさないですむのはありがたい。

羽田《はねだ》空港に着いた後は、衛の態度もいくらか和らいでいた。ここまできたら観念するしかないと思ったのだろう。あいかわらず口数は少ないが、空港の駐車場に駐《と》めておいた車に乗せてくれた。

助手席の窓から見える風景がビルばかりになると、東京に来たんだなぁと実感する。神谷村では畑と田んぼばかりで店はめったにないが、ここではいろんな店が道路の脇に連なっている。夜になるとネオンが光り、まるで昼間のように明るい。

衛のマンションに着いた頃にはもう夜で、部屋の中は真っ暗だ。リビングの明かりをつけた衛は、ソファに旅行バッグを置いて、泰正に向き直った。

「兄さん、ここまでついてくるってことは、俺が何をしても許すってこと？」

ひやりとするような空気の冷たさを感じて、泰正は首をすくめた。衛の目つきが怖くて、今さら追い出されたらどうしようと焦ってしまう。

「許すって……俺、お前のすることで嫌なことなんてないぞ……」

どう答えていいか分からず小声で言うと、衛が眉根を寄せて泰正の手首を握る。こわごわと衛を見上げた瞬間、ぐいっと強引に引っ張られた。

「衛……」

衛は泰正の手首を強く握ったまま、寝室に泰正を連れ込む。衛は綺麗に整えられたベッドの上に泰正を押し倒した。泰正が戸惑っていると、体重をかけて覆い被さってくる。

「もう遠慮なんてしない。俺がどれだけ兄さんで妄想してたか教えてやるよ」

衛の手が泰正のシャツのボタンを外してくる。びっくりして泰正が固まっていると、乱暴にシャツが全開にされていく。

「するよ、兄さん」

眼鏡を外して衛が囁き、剝きだしになった鎖骨に唇を寄せる。衛は眼鏡をかけていないと別人みたいで少し怖い。つい「ひゃわっ」と変な声が出て、泰正はシーツの上に頭をつけた。衛は泰正が抵抗しないのを見ながら、徐々に唇を下にずらしていく。

「え、えっと長旅で疲れて……ねーの？　あの……んっ、わぁ、そこ……」

まさか着いて早々にこういう行為をするとは思わなかったので、泰正は視線をきょろきょろさせながら口ごもった。衛の唇が乳首に吸いつき、じんと痺れて動きが止まる。衛は最初から激しく乳首を吸ってきて、痛いほどだ。だが身体はそこでの快楽を知っていて、舌で転がされると息が詰まってしまう。

「乳首……好きなんだね、兄さん」

甘く歯を当てて衛が言う。静かな室内に乳首を舐める音が響き、泰正は身をよじった。

「ん、す……好き……かも……」

指と舌で乳首を刺激され、ぷっくりと尖ってしまう。衛はしつこいほど乳首を舐め回してくるので、嫌でも感度が高まっていく。泰正が足をもじもじさせると、衛は起き上がって泰正の足からズボンを抜いた。泰正が黙ってされるがままなのを見下ろし、下着さえもとっていく。弟の前で下半身を露《あらわ》にするのはひどく恥ずかしかったが、衛の目が真剣だったので我慢した。性器は芯を持ち始めている。

衛はゆっくりとした動きで泰正の下腹部を握ってきた。

「……きれいな肌だね。女の子なんかより、兄さんのほうがずっときれいな肌をしている……」

うっとりした表情を浮かべ、衛が囁く。性器をやわやわと揉まれて、泰正は気持ちよくなってきてとろんとした目になった。

「花がなくても、兄さんは特別な匂いを発してるよ……。俺をおかしくさせる匂いだ」

衛が泰正の首筋に鼻を押しつけ、匂いを嗅ぐようにする。そう言われてみれば、花の匂いでおかしくなっていないのにこんな行為をするのは初めてだ。

「……何もかも、どうでもよくなるよ」

衛が低い声で呟き、次には深く唇を重ねられていた。

「ん、んぅ……っ、う……っ」

噛みつくような衛のキス。髪を摑まれ、激しく吸い上げられる。泰正がゆるく口を開くと、舌が口内にねじ込まれ、歯列を探ってきた。前も思ったが、衛とキスをするのは気持ちいい。音を立てて吸われるとぞくりとするし、衛の荒い息遣いにたまらない気分になる。唾液が絡むようなキスもぜんぜん嫌じゃない。キスの合間に衛の背中に腕を回すと、衛が濡れた唇を離してじっと泰正の目を見つめてきた。

「兄さん……」

眼鏡がないせいか、衛は至近距離から泰正に囁きかけ、額と額を合わせてきた。衛の前髪がくすぐったくて身をすくめる。衛の手は愛しげに泰正の髪を梳《す》き、こめかみに唇を押しつけてきた。

「好きだよ……。ごめんね……」

苦しげな声で衛が呟いて、泰正の性器を再び扱き始めた。謝ってほしくないのに、性器を扱かれ、掠《かす》れた息しか出てこない。数度動かされただけで泰正の性器は硬くなり、目の前で反り返っていった。衛は硬度を持った性器の根元に手を添え、顔をずらして舌を近づけた。衛の熱い舌先が、性器の先端を舐め回す。そのやり方はくどいくらいで、泰正は息を詰めた。

「ん……っ、ん……っ」

先端を舐め回されたと思ったら、今度は深く口に銜えて、顔を上下させる。衛の口内は気持ちよくて、時々歯が当たっても気にならないくらい身体が熱くなっていく。静かな室内に濡れた音が響くのは恥ずかしい。泰正はびくびくと身体を震わせつつ、口淫する衛を見ていた。

「はぁ……、男のモノを喜んで舐める日がくるとは思わなかった……」

衛が自嘲気味に呟き、濡れた口を離した。もう泰正の性器はガチガチで、熱が溜まっている。泰正は射精したくてたまらなかったのだが、衛は何を思ったのか、ベッドから下りて部屋を出ていってしまった。

部屋に一人にされてどうしようかと焦っていると、衛がオリーブオイルの小瓶を持って戻ってきた。料理に使うやつだ。不思議そうな顔になった泰正を見て、衛が薄く笑う。

「お尻見せて」

横向きになるよう促されて、泰正はベッドの上で丸まった。すると衛がオリーブオイルを尻のはざまに垂らす。

「ひー」

感触にびっくりして泰正が枕を抱えると、衛の指がオイルで尻の穴を濡らしてきた。

「うひゃあぁ……」

オイルのせいで衛の指は簡単に内部に入ってくる。衛が入れたがっているのが分かって、泰正は鼓動を速めた。花の匂いの中でやっていた時は痛みはなかったが、家で寝る頃には鈍痛があった。痛かったら嫌だなと怯えていると、衛の手が宥《なだ》めるように背中を撫でる。

「乱暴にしないよ……。怖がらないで」

背骨を指で辿りつつ、衛が囁きかけてくる。そうこうするうちに内部に入れた指が二本に増やされ、泰正は深呼吸を繰り返した。

「ふー……っ、ふー……っ」

衛の指は内部で開くように動き、内壁を押し広げる。一応気を遣っているのか乱暴には動かさない。そのせいか徐々に身体から余分な力が抜け、泰正は身体をくねらせながら異物感に耐えた。

身体の奥を探られる感覚は強烈だ。ぞわっとした寒気を感じるし、腰から下の感覚に意識が集中してしまう。時おり指が奥を突くと勝手に腰が跳ね上がるのが怖い。何よりも指で弄られている間、泰正の性器は萎《な》えるどころか先走りの汁を垂らし始めていた。お尻を突かれて感じているのがまざまざと分かる。

「俺がずっと何度も妄想で兄さんを犯してたの、知らないよね」

上擦った声で衛が言った。どきりとして泰正が肩越しに振り返ると、興奮した目つきの衛が指の出し入れをしている。ぬちゃっ、ぬちゃっ、と衛が指を動かすたび、いやらしい音が響く。衛は根元まで長い指を入れ、ぐりぐりと奥を弄ってきた。

「ひ……っ、あ……っ」

声が我慢できなくなってきて、泰正は枕に顔を押しつけた状態で切れ切れに声をこぼした。

衛が自分にそんな欲望を抱いていたなんて知らなかった。衛は欲望を感じさせる触り方などしたことはない。

「俺、兄さんにどこか似てる人じゃないと勃《た》たないんだよ……。つき合っても結局兄さんと違うと思って駄目になる……。信じられないだろ……。俺は本当に、おかしいんだ」

背中を撫でていた衛の手が下りてきて、尻たぶを強く揉む。そのままぐっと広げられて、衛はぐいぐいと三本目の指を入れようとした。

「や……っ、あ……っ」

さすがに三本はきつくて泰正が腰を揺らすと、気を逸らすように衛の手が前に回り込んで性器を握ってきた。

「ひあ……っ、あ、うぅ……っ」

衛の手で包み込まれ、射精感が高まっていく。軽く擦られ気持ちよくなった隙に、衛の指が無理やりねじ込まれた。

「う、ああ……っ、あ……っ」

三本の指が同時に内部を掻き乱す。泰正は身をよじり、シーツをしわくちゃにした。衛は入り口の部分を広げるようにして、何度もしつこくそこを揺らしてきた。

「……もう我慢できない。兄さん、お尻上げて」

いきなりずぽっと指が抜けて、泰正は乱れた息遣いを整えようと肩で息をした。ベルトを外す音と、着ていたシャツが床に放り投げられる音がする。泰正がシーツに背中をつけて見上げると、衛が全裸になって泰正に覆い被さってきた。

「なんで兄さん相手だと触らなくてもこうなっちゃうんだろ……」

うつろな声で衛が呟き、腹につきそうなほど反り返った性器を見せつけてきた。衛の性器はもう濡れていて、妖しくぬめっている。泰正が息を呑むと、両足を抱え上げられ、ぐっと折り曲げられた。

「入れるよ」

性器の先端がぴとっと尻の穴に押しつけられ、泰正は緊張して何度も唾を飲み込んだ。ぐぐっと先端の張った部分が泰正の小さな尻の中に押し込まれる。痛みを感じて、泰正は涙目になって衛を見上げた。衛は目が合うとどこか痛いところでもあるみたいに顔を歪めた。子どもの頃、泰正が怪我《けが》をするとよくそんな顔をした。泰正の痛みを自分の痛みとでも思っているみたいに。

そして強引に押し入ってくる。

「ひ……っ、い、あ……っ」

両足を広げられ、衛は容赦なく腰を進めてくる。衛の性器は硬くて、熱があって、息づいている。指で慣らしたとはいえ、受け入れるにはそこはまだ狭くて、泰正はぽろぽろ涙をこぼしながら息を喘がせた。

「兄さん、泣かないで……。余計興奮しちゃうから……」

半分ほど埋め込んだところで衛が身を屈《かが》め、泰正の濡れた頬を撫でてくる。言葉通り泰正の身体の奥で、衛の性器がさらに大きくなる。

「ば……、馬鹿……、お尻怖《こえ》ぇよ……」

真っ赤な顔で泰正が訴えると、衛が興奮した息を吐いて胸を撫でる。

「ん……すごくキツイ……。もう頭おかしくなりそうだ……」

覆い被さるような体勢で話す衛は、情欲に濡れた眼差《まなざ》しをしていた。こんな顔は見たことがない。まるで知らない男に抱かれているみたいな気がする。泰正は何か言おうとしたが、衛がぐっと奥まで性器を埋め込んできたので声にならない悲鳴を上げるしかなかった。

「ま……、待って、待って……、う、動かないで……」

弱々しい声で泰正が衛の胸を押し止めると、熱い吐息が降りかかる。衛は逃げられないように泰正の足を胸に押しつけ、その状態をキープする。

「兄さん……可愛いね。やばいな……、もうめちゃくちゃにしてやりたくなる」

熱に浮かされたような声で衛が言い、泰正はびっくりして目を見開いた。繋がった状態のままなので、互いに少し動いただけでも身体への振動は大きい。弟の初めて見る凶暴な欲望に、泰正は言葉が出てこなくなった。

「だからさ……兄さん。兄さんは黙ってると本当に可愛いんだから……、やめてよね」

どこか呆れたように歪んだ笑いを浮かべ、衛が屈み込んできた。深く唇が重なる。ふいに腰が小刻みに揺れてきて、泰正はくぐもった声を上げた。動かないでと言ったのに、衛は我慢できなくなったみたいに腰を律動させている。キスでふさがれていて声が出せない。

「ぷは……っ、はぁ……っ、は……っ」

苦しくて泰正が衛のキスから逃れて顔を横に反らすと、仕返しのように腰を突き上げられた。

「ひゃあ……っ、あ……っ、ひ、あ……っ」

衛は一度動きだしたら止めるのが困難になったらしく、泰正を押さえつけて腰を激しく律動させる。

濡れた音と肉を打つ音が響き、泰正は甲高い声を上げた。

「や……っ、あ、ま、待って、ま……っ」

いきなり荒波に放り込まれたみたいに、衛が容赦なく腰を揺さぶってくる。繋がった場所が熱くて、泰正は必死で止めてもらおうと声を上げた。衛は根元まで性器を入れ、深い奥をぐりぐりとこじ開ける。それほど気持ちいいと思ってないのに、泰正の性器からはだらだらと蜜があふれている。自分の身体が制御を失った気がして、泰正は怖くなった。

「まも、る、ま……っ、や……っ、あ、あ……っ」

嬌声を上げて泰正が身体を跳ね上げると、衛が息を荒らげて腰をねじ込んできた。

「ここでしょ？　兄さんの気持ちいいところ……」

衛が奥の一点を集中的に攻め始める。とたんに泰正は甲高い声を上げた。

「ひゃあぁ……っ、あ……っ、や……っ、そこ、や……っ」

強い快感に怯えて泰正が逃げようとすると、衛がしっかりと腰を抱えて同じ場所をずくずくと突いてくる。奥の一点をカリで擦られ、身体中が発汗した。激しい快感に内部が収縮し、衛の性器に吸いつくようだ。

「や……っ、あ……っ、い、イっちゃ……っ」

急速に熱が高まり、性器から白濁した液体がどろっと飛び出てきた。性器がぶるぶると震え液体をまき散らす。射精している間も衛は腰の突き上げをやめてくれず、泰正は仰け反るようにして嬌声を上げ続けた。

「すごい……またお尻でイった……っ、はぁ……っ、は……っ、めちゃくちゃ興奮する……、ねぇ兄さん、中で出してって言ってよ……」

泰正の身体を撫でながら、衛が断続的に奥を突く。入っている衛の性器がどんどん大きくなるような気がして、泰正は怖くなって首を振った。衛の性器が腹を破って出てきそうだ。そんなに深い奥を犯さないでほしい。

「や……っ、やめて……っ、奥変だから……っ」

射精の直後で敏感になっている奥を刺激されるのは、感じすぎてつらかった。泰正が涙声で止めても、衛は余計にいきり立ったように腰を突き上げている。

「駄目……、中に出すよ、もうイきそうだ……っ」

掠れた声で衛が告げ、乱暴に泰正の奥を穿《うが》ってきた。激しく揺さぶられて怖くなった時、衛が呻き声を上げて性器を根元まで押し込んできた。

「ひぐ……っ、ひ……っ」

内部でぴくぴくと動く性器が、精液を大量に注ぎ込んでくる。

「はぁ……っ、はぁ……っ、兄さんの中に出した……」

衛は荒く息を吐きながら、数度腰を揺さぶった。ようやく動きが止まって、泰正はぐったりとシーツに身を投げだした。獣みたいな息を吐き、衛が性器をずるりと抜く。つられるように尻の穴からどろっとした液体がこぼれでたのが分かって、泰正は慌てて身体の向きを変えようとした。シーツを汚すと思ったのだ。それに気づいて衛が泰正の腕を引く。

「兄さん、一緒にシャワー浴びようよ」

まだ硬度を保った性器を見せつけ、衛がベッドから泰正を引きずり下ろす。泰正は引っかかっていただけのシャツを脱ぎ、よろよろとした足どりでベッドから下りた。空いている手でお尻を押さえながら浴室まで引っ張られる。お尻の穴が開いているのが分かって、いたたまれなかった。衛は強引に泰正を浴室へ連れていくと、シャワーノズルをとってお湯を出した。

「手、離して。向こう、向いて」

首の辺りから始まり、胸元から下腹部へと全身に湯をかけてきた衛が、泰正の尻を叩く。今日の衛には逆らえない雰囲気があって、泰正は壁のタイルに手をついて衛に背を向けた。衛はシャワーノズルをフックにかけると、ソープをとって背後から泰正の身体に泡を塗りたくってきた。

「ま……衛……あの……」

衛の手は肩から二の腕に流れ、指先まで辿る。壁についていた手を優しくとられ、指先まで泡だらけにされた。腕が終わるとソープを足して腋《わき》の下から上半身を手のひらで撫でられる。泰正としてはナイロンでごしごし洗ってほしいのに、衛は泡のついた手で身体を撫で上げる。

「可愛いな……。兄さんのここ」

密着するようにして泰正の胸を撫で回し、衛が耳朶の裏の匂いを嗅いでくる。衛の指先がぴんぴんと乳首を叩き、少し強めに摘む。背中に回ったかと思うとまた戻ってきて乳首を引っ張られ、泰正は再び腰に熱が溜まってきて壁にすがりついた。

「わ……」

泡まみれの手で壁のタイルに手をかけたせいか、ずるんと滑って体勢が崩れる。すかさず背後の衛に抱きかかえられ、衛の大きな手が股間に滑ってくる。

「あ、う、う……」

衛の勃起した性器を押しつけられながら、性器を泡まみれにされた。衛の大きな手が泰正の性器を包み込み、乱暴に扱き上げる。泡のせいで強くされても気持ちいいだけで、泰正ははぁはぁと息をこぼしながら衛の腕にしがみついた。身体をくっつけ合うと、より一層衛の体格のよさが感じられる。一つ年下の弟は、泰正よりずっとでかい。

「なんでも許してくれるんだね、兄さん。……こんなことされて嫌じゃないの？」

性器を扱いていた手を放し、衛が後ろから尻のはざまにソープを垂らす。衛は当然のように尻を撫で、まだ弛んでいる奥へと指を入れてきた。

「はは……すごい出したんだな……。ここ、どろどろだ」

尻の中に入ってきた指が掻き出すような動きで精液をほじくり出す。濡れた音が浴室内に満ちて、無性に恥ずかしくなった。泰正が赤くなって床に流れる湯を見ていると、衛がシャワーノズルを背後に当ててきた。

「うっく……」

衛は泰正の尻の穴を指で広げて、ぬるま湯を注ぎ込んでくる。あらぬ場所を洗われても、泰正はじっと耐えるしかなかった。

「ねぇ、兄さん。嫌じゃないの？」

身体の奥に入れた指を動かしながら、衛が熱い吐息を耳朶に被せてくる。潤んだ目つきで振り返ると、衛が昏《くら》い瞳をしているのに気づいた。

「や、じゃないけど……」

深い沼の底みたいな目をする衛には自分の知らない部分があるように思えて気になった。泰正が答えると、衛は顔を歪めて指を引き抜いた。

「なんで？　なんで嫌じゃないの？」

低い声で聞かれて泰正は衛を見つめ返した。

「だってお前は大事な弟だから……」

思ったままを素直に答えた泰正に、衛は歪んだ笑いを浮かべた。

「弟、か……」

泰正の答えが衛にとってあまり嬉しくないものだったのはなんとなく伝わってきた。泰正にとって家族は一番大事なものだ。衛が抱きたいというなら、その願いを叶えてやりたい。

「あ、わ……っ」

腰を引き寄せられたと思う間もなく、いきなり尻のはざまに性器が押しつけられた。衛の硬くなった性器は躊躇《ちゅうちょ》なく奥へと押し込まれてくる。

「う、うー……」

背後から重なるようにして衛が性器を挿入する。ぐいぐいと奥まで熱いモノが埋め込まれ、泰正は前のめりになって呻き声を上げた。衛は腰を抱え込み、泰正が逃げられないようにして欲望の証《あかし》を根元までずっぽりと入れる。くっついた際に泡立った身体が滑ったのを見て、衛はシャワーの湯で泰正の身体から泡を洗い流した。立った状態で繋がっているので、足ががくがくする。

「もっと腰上げて。兄さん小さいからやりづらい」

身長差があるせいで動きづらかったのか、衛が泰正の腰を引き上げてきた。泰正は入れられた状態で立っているのがつらくて、壁に手をかけた。衛は熱い息をこぼしてすぐに腰を律動してくる。再び奥を芯のある硬いモノで突かれ、泰正は足を震わせた。

「う、あ……っ、あ……っ」

何度も突かれたせいか、性器で奥を刺激されてすぐに前が張りつめていく。身体はそこでの快楽を覚えてしまったらしく、突き上げられて腰から力が抜けるのが分かる。

「セックスって……すごい気持ちいいね。溺れる人の気持ちがよく分かったよ……。この快楽の前では、もうどうなってもいいって気さえする……誰から誹《そし》られても、手放せないよ」

腰を揺さぶりながら衛が低い声で囁く。泰正は衛に支えてもらわないと立っているのが困難で、ひたすら喘ぎ声を発していた。初めて挿入した時は欲望のままに動いていた衛だが、余裕が出てきたのか泰正の感じる場所をじっくりと攻めるようになった。

「あ……っ、あ……っ、あ……っ、や、ぁ……っ」

緩急をつけた動きで奥の弱い部分を突き上げられ、泰正は鼻にかかった声で腰をひくつかせた。

「兄さん、俺の……気持ちいい？」

ずくずくと内部を突いて、衛が吐息をこぼして聞く。泰正は膝を震わせて切れ切れに声を出すしかけのぼる。

できなかった。長く突かれたせいで内部が収縮し、衛が動くたびにぞくりとした鋭い疼《うず》きが背筋をか

「あ……っ、ひあぁ……っ、ひ……ぃ、あ……っ、お尻……変……っ、熱いよ……ぅ」

断続的に穿たれ、声が引っくり返る。衛は余裕のある攻め方で泰正の奥に、性器を出し入れする。

「またイきそうだね……、俺も何度でもできそうだよ。もっと感じて、兄さん」

泰正の性器を手で扱き、衛が深い奥を犯してくる。信じられないほど奥まで性器が入ってくるのが怖くて、泰正は膝をがくりと落とした。繋がった場所から性器が抜けそうになったが、追ってくるように膝を落とした衛が、ぐっと性器を押し込んでくる。

「ひああ……っ、あ……っ」

長いストロークで奥を攻められ、泰正は床に膝をついた状態で甲高い声を上げた。衛は泰正の背中にのしかかるような形で、激しく突き上げてくる。

「うあ……っ、あっ、ひ、ん……っ」

身体の奥がどんどん熱くなり、声が抑えられない。泰正は四つん這いになった状態で、腰を跳ね上げた。硬く大きなモノで奥を擦られ、快感が溜まっていく。衛は泰正を背後から包み込むような体勢で覆い被さり、脇の下から伸ばした手で乳首を引っ張った。強めに乳首を摘まれ、余計に感度が高まる。

「やー……っ、あー……っ、あー……っ」

乳首をぐりぐりと弄られ、悲鳴のような嬌声がこぼれる。衛が突き上げるたびに声が上がり、泰正

は腰をひくつかせた。

「あー……っ、ううー……っ!!」

何度も強い快楽の波に襲われ、耐え切れずに前から精液を噴き出した。身体がおかしくなったのか、お尻を突かれると我慢ができなくなる。

「はぁ……はぁ……。イったの……? すごいなぁ……兄さんの身体がこんなにやらしいなんて知らなかった……。はぁ……、興奮する……っ」

ぐったりと床に崩れる泰正の腕を引き上げ、衛が唇を舐めた。衛は力の入らない泰正の両腕を後ろに引き、膝立ちの状態で再び激しく奥を穿ってきた。射精してもお尻を突かれると、また快感が溜まっていく。終わりのない責め苦を受け続けている気がして、泰正は泣きながら太ももを震わせた。

「ひ……っ、あぅ……っ、う……っ、もうやめ……っ、やだ、衛……っ」

泰正が泣きだすと衛は余計に興奮して奥を突いてきた。一度出したせいか長い時間をかけて泰正の尻をぐちゃぐちゃにする。普段の喧嘩なら泰正が泣くと許してくれるのに、今日はまったく止める気配がなく制止の声にも応えてくれない。しかもそうしているうちに泰正はまた絶頂に達してしまい、余計に衛を興奮させてしまった。

「俺ももうイきそうだ……っ、はぁ……っ、兄さん」

泰正の奥を突き続けていた衛がようやく限界を訴え、ずるりと性器が引き抜かれた。身体の奥の楔をいきなり抜かれて泰正がしゃがみ込むと、衛はその背中に射精してきた。どろりとした匂い立つ液体が背中にぶっかけられる。

「ひぃ……はぁ……っ、はぁ……っ、はひ……っ」

泰正は息継ぎしかできずに、濡れた床に蹲《うずくま》った。衛もはぁはぁと肩で息をする。衛は残滓《ざんし》を泰正の身体にかけると、泰正の顎《あご》を捉えて深い口づけをしてきた。

「ん……っ、ん……っ」

苦しくて朦朧としながら衛のキスを受けた。背中を精液が伝っていく感触が気持ち悪い。衛の気がすむまでキスを続け、ようやく解放された時にはくたっとしていた。

衛は泰正の身体を綺麗にした後、抱き上げるようにして再びベッドに戻った。泰正はもう疲れたから眠りたかったのに、底なしの性欲を抱えている衛によって朝まで尻を犯された。セックスをしている時の衛はいつもの理屈っぽさや冷静さが消えて、ただの獣にしか見えない。泰正の言い分をまったく聞いてくれないし、口数が減って別人に感じられる。

睡眠をとった後も、目が覚めると衛が泰正の身体を舐め回していてびっくりした。衛のことはなんでも受け入れようと思っていたけれど、執着心みたいなものを感じて落ち着かなくなる。もしかして自分は何か間違えてしまったのではないだろうか？

終わることのない欲望を突きつけられ、泰正はひたすら流されるしかなかった。

七　溺れる

It is drowned.

衛《まもる》のマンションに来てから一週間が経ったが、その間の記憶がおぼろげなのは、ずっと抱き合っていたせいだ。

衛は会社を辞めたのもあって、家を出る用事がない限り、貪るように泰正《たいせい》の身体を抱き続けた。衛の行為を嫌ではないと言った泰正だが、まさか朝から晩まで求められるとは思わなかったので、かなり戸惑っていた。セックスは気持ちいいし、衛がやりたいと言うならつき合うのも構わないのだが、回数を重ねれば重ねるほど衛がふさぎ込んでいくのには困った。このままではよくないと思うものの、やりたくないと言うと「じゃあ神谷村《かみやむら》に帰れよ」と言われるので抵抗できなくなるのだ。

今、泰正が神谷村に帰ったら、確実に衛はおかしくなってしまいそうな気がする。人の心にはうとい泰正でも、衛が精神の均衡を失いかけているのが分かる。多分それは泰正とセックスをしているせいだと思うのだが、それをやめることができない。そもそも泰正には何故衛がセックスをしたがるのかさえよく分かっていなかった。

仕事をしている様子もないし、時々かかってくる電話も留守電にして出ようとしない。おかしくなってしまった衛に泰正は不安が募った。武蔵《むさし》に電話で相談してみようかと思ったが、兄弟でセックスをするのはいけないことらしいし、話したら大変な騒ぎになりそうでできない。骨を納屋に置いていただけであれほど怒られたのだ。もし衛とセックスをしていると言ったら、泰正だけではなく衛も怒られるに違いない。

衛の動向にやきもきしていた泰正だが、一週間が過ぎた頃ようやく我に返ったのか、衛は仕事をすると言って部屋にこもった。

ちょうど実家から電話がかかってきて、母から元気にしているのかと聞かれた。たかだか一週間しか経ってないのに妙に懐《なつ》かしくて泰正は空元気で答えた。母の声を聞いてホッとして、神谷村の様子やみかんの出来具合を教えてもらう。

「衛は今仕事で部屋にこもってんだ。あとで言っておくよ」

電話口で泰正が頷くと、安心したように母が吐息をこぼす。

『あんたが自分から神谷村を出るなんて珍しいからね。大丈夫かなって気になっていたのよ。そうそう、例の不法投棄だけど犯人捕まったみたいよ。エコ・ユートピアの人たちって前科持ちのヤクザまがいの集団だったんですって。不法投棄の件で内部で揉めていたとかで、美貴本《みきもと》殺害の件でも追及されているそうよ』

母が潜めた声で情報を教えてくれる。母の話によると、あれからエコ・ユートピアの元社員を探し出したところ、ヤクザまがいの集団だったことが分かり、美貴本が殺されたのは内部分裂のせいだと考えられているらしい。驚いたことに美貴本は不法投棄をやめてほしいと上司に言っていたようだ。あの頃、泰正は山を汚されるのを嫌っていたので、もしかしたら美貴本は泰正のために会社の方針に逆らったのかもしれない。思い込みが強くストーカーだった美貴本は泰正にとって記憶から消し去りたい奴だが、もしそうだったらその点だけは見直したい。なんにせよ、衛が犯人ではないと分かって安心した。泰正は母との電話を切ると、衛が部屋にこもっている隙に出かけようと決意した。

「ちょっと買い物に行ってくるー」

衛の部屋のドア越しに声をかけて、泰正は財布を持って外に飛び出した。すっかり辺りは春めいている。四月に入り、体感温度も高いし、緑も芽吹いている。外に出て晴れ晴れとした解放感に浸り、泰正は自分が気づかぬうちに鬱々《うつうつ》としていたのを自覚した。もともとじっとしているのが苦手な泰正は、一週間も家にこもりきりだったことなんてない。外に出ようとするたび衛に「どこへ行くの」と止められてベッドに引き戻されていたので、太陽を直接見るのさえ久しぶりだった。ふだんの泰正なら勝手に出ていくところだが、衛の様子が気になったのと、ここが東京で見知らぬ街というのもあって家に閉じこもる生活を続けていた。

山は見えないが、外に出て分かった。やっぱり自分には家の中に閉じこもる生活は無理だ。

衛が本当に変になる前に、兄として元の弟に戻さねばならないと思った。衛はセックスをしたがるくせに、事後は憂鬱そうに黙り込む。それはつまり満たされていないということにほかならず、これ以上繰り返しても意味がないように思えた。こうなってみると会社を辞めたのはよくない選択だった。泰正には衛が社会と断絶している気がしてならないのだ。

まずは食生活から改めようと考え、泰正はスーパーに買い出しに行った。今日は自分がそばを打とう。

食材を買って帰る途中、今日が土曜日だというのを思い出し洋平《ようへい》のアパートを訪ねた。以前迷子になった時洋平の家に行けなかったので、あの後本人に地図を書いてもらっておいたのだ。

「あれっ、泰正。病気かよ？　ガリガリじゃねぇか」

ドアを開けた洋平が泰正の顔を見て驚いた声を上げる。ガリガリと言われて自分の身体を見下ろした。そう言われてみると、食欲が湧かず、今週はろくに食べていない。

「あっちに帰ったんじゃなかったのか？　つかお前、来るなら電話しろよ」

突然の訪問に呆れながらも、洋平は泰正をアパートに入れてくれた。洋平のアパートはワンルームで、物がごちゃっと積まれている。収納家具がほとんどないので、壁際は脱ぎ捨てた衣服が山になっている。

「衛が心配だから一緒に戻ってきたんだぞ。よーちゃん、この靴下、この前もあったぞ」

買い物袋を入り口のところに置き、泰正は部屋の隅の黒い靴下を指差した。洋平は寝ていたようで、スウェット姿で大きなあくびをして流しの前に立つ。

「まだ一回しか履いてないから置いといてくれよ。んで、衛が心配ってなんだよ？」

やかんを火にかけて洋平が振り返る。理由を言おうとして泰正はぐっと言葉を呑み込んだ。ここは適当に誤魔化さねばならない。

「えっと……体調不良というかぁ……。そうそう、今はやりの鬱っぽいぞ」

「はぁ？　冗談だろ。あ、でも会社辞めたんだっけ。自由業にプレッシャーでも感じてんのかな。今度それとなく聞いてみるよ」

洋平は泰正のためにカフェオレを作ってくれた。洋平の部屋には小さな折り畳み式のテーブルしかなくて、泰正はマグカップにふうふう息を吹きかけながらそこに置いた。泰正は洋平から鏡を借りて自分の顔をじっくり見た。洋平の言った通り、やつれた顔がそこにある。家に閉じこもっていたし、気力が減退しているのだ。

「――そういえば、添木《そえぎ》も役場からいなくなったぞ」

ふいに言われたので泰正は面食らって鏡を置き、自分のマグカップを運んできた洋平を見上げた。洋平はコーヒーの入ったマグカップをテーブルに置き、あぐらをかいて泰正の向かいに座る。

「添木……？」

この場にそぐわない名前だったので泰正はいぶかしげに聞き返した。

「なんだよ、添木だぞ？　もっと喜べよ。お前、困ってたんだろ」

当たり前のような顔で笑われ、泰正は戸惑った。村役場の添木には困っていたが、それを洋平に言ったことなどあっただろうか？

「俺、添木のこと、よーちゃんに言ったっけ……？」

なんで洋平が知っているのだろうという疑問を抱き、泰正は不思議に思って問い返した。すると洋平はおかしそうに笑って、コーヒーに口をつけた。

「衛が島田《しまだ》先輩に言って、話が皆に回ったんだよ。お前、ああいう手合いに目をつけられてたんならすぐ誰かに言えよ。いつも皆で守ってやってただろ」

何故か分からないがひやりとするものを感じて、泰正はああとか、うんとか意味のない言葉を繰り返してカフェオレに口をつけた。いつも守ってもらっていたなんて知らなかった。だが知らないと言うのも失礼かもしれないと思って、泰正は混乱しつつも「ありがとう」と口にした。

「ひょっとして美貴本も……」

まさかと思いながらさりげなく美貴本の名前を出すと、洋平がバッグの中から煙草《たばこ》をとり出してライターで火をつける。

「ああ、懐かしい名前だな。あいつはかなり手強かったな。諦《あきら》めさせるのに苦労したよ。衛はやり方がぬるいんだよな。教育委員会とかさ、チクったって相手は教師じゃないんだからきかねーよ。俺と穣《みのる》は夜中、会社に忍び込んで帳簿探ったりしてさ。面白かったぜ。ブラックな企業だったから、ちょっと上の奴に美貴本が怪しい動きをしてるって投書したら、すぐ揉め始めたよ。骨が見つかって、それが美貴本のだったんだって？　まさか殺されてたなんてな」

軽い口調で話す洋平に寒気を感じて、泰正は黙り込んだ。美貴本が死んだのはそのせいだったのだろうか。自業自得かもしれないが、間接的に殺した気分になり胸の奥に鉛が沈み込んだようだった。なによりも自分の知らない間に友人たちが陰で動いてくれていたのに心底驚いた。島田とはしょっちゅう会うが、そんな話一度も出たことがない。

「なんで俺のためにそんなこと……？」

理由が分からず泰正が呟くと、洋平が煙草の煙を天井に吹きかけた。いくら友達とはいえ、そこまでしてくれるものなのだろうか。

「お前は山神の子だからな」

遠い目つきをして洋平が答える。泰正がきょとんとした顔になると、洋平はぶっと噴き出した。

「ぼけっとした顔して。お前には小さい頃、溺れたところ助けてもらっただろ。俺も穣も恩に感じてるんだぜ」

洋平は飲みかけのコーヒーカップに火のついた煙草を落とす。確かに小さい頃溺れた二人を助けたことはある。一人で二人も助けたなんてすごいとよく言われるが、本当はあまりその時のことは覚えていない。気づいたら浅瀬に二人がいて、衛が「兄ちゃん、すごいよ！」とまくし立てていた。

「俺は正直、神谷村とはおさらばしようと思ってるけどさ」

新しい煙草に火をつけて洋平が目を細める。

「お前を助けるためなら駆けつけるよ。神谷村の住人はお前を大切にしてるだろ。お前は山神の子だからさ。守らなきゃ罰が当たる」

唇を歪めて洋平が呟く。ふと洋平の瞳の奥に、添木や美貴本と同じ昏《くら》い偏執的な光が浮かんでいる気がして、泰正はごしごし目を擦った。どうしたと聞かれて再び洋平を見ると、そこにはいつもの幼《おさな》馴染《なじ》みがいた。なんとはなしにホッとして泰正はカフェオレを飲み干した。


買い物袋を提げて衛のマンションに戻る途中、泰正は考え事をしていたせいですっ転んでしまった。ひざを擦りむいて気落ちして帰ると、部屋にこもっていた衛が眉間《みけん》にしわを寄せて出てきた。

「……戻ってきたんだね。神谷村に帰ってもよかったんだよ」

泰正の怪我《けが》にも気づかずそっけない口調で言われて、泰正はどう返事をしていいか分からず黙ってキッチンに立った。この家で身体の関係を持ってからの衛はひどく扱いづらく、対応に困る。前の衛だったら、泰正が怪我したことにすぐ気づいてくれた。もしかしてセックスを拒絶したほうがよかったのだろうかと悩みながらも、泰正はそば粉をとり出してそばを打ち始めた。

泰正が無言のせいか、衛は少し苛立った表情になり、持っていた本を乱暴にテーブルに投げ出した。派手な音がしてびくっと振り返ると、衛は背を向けて部屋に入るところだった。そばを打ち終えて声をかけても、腹いせのように部屋から出てこない。仕方なくトレイにそばとそばつゆを載せてそっとドアを開け、中に入れておいた。自分の分を食べ終えてトイレから出ると、空の容器がテーブルの上に置いてある。

食べてくれたことに安堵して、泰正はシンクに立って汚れた皿を洗い始めた。

（これからどうしようか……）

食器の触れ合う音を聞きながら手を動かしていると、ふいにぞわっとして鳥肌が立った。嫌な予感がして窓に駆け寄った泰正は、マンションの傍の木に首なし男がいるのを発見した。ここのところ見ないと思って安心していたけれど、また現れたのだ。怖くてぶるりとしたものの、あれが美貴本だと思うと妙に同情が湧いてきて眉尻が下がった。泰正のせいで殺されたようなものだし、どうにか首を見つけてあげたい。とはいえエコ・ユートピアの人なんて知らないし、今頃はきっと警察で事情聴取を受けているはずだから、直接首の場所を聞く機会など訪れそうもなかった。どうすれば見つけられるのだろう。

キッチン周りを綺麗にした後、あれこれ悩みつつ泰正は長峰《ながみね》にもらったお守りを何げなく触った。

長峰のお守りは強力なので、母に頼んで首からかけられるようにしたのだ。

触れて、びっくりした。中に珠《たま》が入っていたはずなのだが、感触がない。

慌ててお守り袋を開くと、中に入っていた珠が粉々に砕けていた。どうりで首なし男が現れたはずだ。お守りの効力が切れたのだろう。転んだ際に割ってしまったのかもしれない。

泰正は部屋にいる衛を気にしつつ、長峰の携帯に電話をかけた。あいにくと留守らしく、メッセージを残してくださいと機械音に指示される。

「お守り壊れちゃったんだけど、どうすればいいかなぁ？」

留守電にメッセージを吹き込むのが苦手な泰正は、それだけ言って受話器を置いた。留守電は独り言を言うようで恥ずかしいのが困る。

夜になって長峰から電話がかかってきて、受話器越しに思いきり笑われた。

『泰正君、今度は名前を入れてね。あと実家にいると思って向こうに電話しちゃったよ。東京に来てるの？　俺は今帰るところなんだけど』

長峰は相変わらず穏やかな口調と優しい笑い声を聞かせてくれる。ホッとしている自分に気づきつつ、泰正は衛を気にしながら受話器を握った。

「うん、今こっちにいるんだ。また首なし男が来ちゃって困ってる。どうすればいい？」

衛に聞かれるといい顔をされない気がしたので、泰正はしゃがみ込んで声を潜めて問いかけた。

『そうか……。それじゃ二、三日待って。新しいの作ってもらうよ。泰正君、生年月日教えて。それがあると作りやすいんだって』

長峰に聞かれて、自分の生年月日を教える。お守りがない間は心配だが、なんとか逃げ回るしかない。幸い首なし男は家の中には入ってこられないようだった。ここは二鬼山《ふたおにやま》から遠いし、ベーやんたち仲間の助けも借りられそうもない。一人で頑張るしかない。

『ところで三門《みかど》先生、執筆作業遅れているみたいだけど大丈夫？　何か悩んでいるのかな』

長峰にどきりとする質問をされて、泰正は不安になった。ずっと不健康な生活をしていて仕事をしている気配がなかったので気になっていたのだが、案の定、衛は仕事が遅れているらしい。泰正は上手く答えられなくて、あうーと意味不明の言葉を繰り返す。

『兼業の時のほうが執筆が進むタイプなのかな。様子見しておくけど、三門先生がすごく悩んでいるようだったら教えてね。あ、お守りができたら訪ねていくよ』

泰正たちの事情を知らない長峰は、衛を案じてそう告げる。泰正は何度も頷いて電話を切った。

「誰と電話してたの？」

突然背後から声をかけられ、びっくりして身をすくめた。いつの間にか衛が部屋から出ていて、険しい形相で泰正を見下ろしている。

「な、なんでもないぞ。ちょっと峰っちと……」

うろたえて後ろに下がったせいか、衛が忌々しげに迫ってくる。

「なんで長峰さんと電話してんの？　気に入らないなぁ。……こそこそと何を話していたんだよ」

「お守りが壊れたからどうすればいいかと……」

「はぁ？　お守り？　なんでそんなくだらないことでかけるんだよ」

苛々した様子で衛がリビングを歩き回る。その時、窓に強い風が当たったような音がした。泰正は心臓が飛び出るくらい驚いて背筋を伸ばした。衛は窓を叩く音は気にならないのか、文句を言いながらソファに足を進めた。

「くだらなくないぞ、お守りがないと首なし男が……」

窓ガラスは強風でも吹いているかのように激しく揺れている。音が気になって窓ばかり見ていると、それも気に食わないのか衛が乱暴にソファに座った。

「もう兄さん、そんな夢物語いい加減にしてくれよ！　大体長峰さんは俺の担当なんだよ、なんで兄さんが仲良くなってるんだよ⁉　俺より長峰さんのほうがいいのかよ⁉」

いきりたった様子で衛がテーブルを拳で叩く。テーブルを叩くバン、という音と窓ガラスに大きなものがぶつかった音がシンクロして泰正は震え上がった。ハッとして衛を見て今さらながら気づく。衛が変だ。窓ガラスにへばりついている首なし男と、同調している。

「聞いてるの⁉　兄さん、ちっとも俺の話を聞いてない、兄さんがそんなだから俺は自己嫌悪で死にそうになるんだよ！　どうして俺一人が悩んでるんだよ、なんで俺を責めてくれないんだ！」

衛は怒鳴り始めると頭に血が上ったらしく、次々と堪《こら》えていたものを吐き出しているようだ。テーブルを叩く音と窓ガラスを首なし男がガタガタと揺らす音が重なって頭がおかしくなりそうだ。衛は焦点の合わない目で叫んでいる。一瞬目の前の弟の姿が美貴本とダブって恐怖を感じた。自分に執着している目つきがそっくりだ。無性に怖くなって泰正は家から逃げ出そうとした。するとそれを察知した衛が駆け寄ってきて、泰正の手首を摑んで床に引きずり倒す。

「どこへ逃げる気⁉　長峰さんに助けてもらうのかよ、そんなこと絶対許さないから――。兄さんは俺のものなんだよ」

床に押さえつけられ、大きな身体でのしかかられる。

「衛、正気に戻ってくれよ！　お前変だぞ、すごい変だぞ……っ」

鋭く光る双眸《そうぼう》で見据えられ、泰正はもがいて叫び返した。明らかに衛の中に衛ではない何かがいる。けれどそれを訴えても衛はまったく理解せず、逆に腕を締め上げられてしまった。

「変だよ、実の兄に欲情するんだから、変に決まってるだろ。頭がおかしいんだよ。だから俺は止めてほしかったのに……。ついてきたのは兄さんだろ」

暗く澱《よど》んだ声で詰《なじ》られて、泰正は青ざめて窓ガラスを見た。窓ガラスには黒い大きな影がへばりついて、窓ガラスを揺らしている。大きな拳《こぶし》が窓ガラスを何度も叩くたび、割れてしまうのではないかという恐怖でいっぱいになる。

「衛、窓ガラスが、窓ガラスが割れちゃうよ……っ」

泰正は自分にのしかかっている衛も怖いが、窓ガラスの首なし男も恐ろしくてパニックになりかけた。衛に自分の声がまったく届かないのが一番恐ろしかった。どう言えば衛の心に届くのか――。

止めてほしかった、と衛は言った。泰正は離れていきそうな衛に不安を感じてついてきてしまったが、それは間違いだったというのか。兄として弟を助けなければと思ったのに、それは大きな過ちだったというのか。

「兄さんは俺から理性を奪う。兄さんといるとやることしか考えられなくなるんだ。見ろよ、兄さんの手がこんなに細くなって……俺のせいだろ⁉　兄さんを駄目にして自分もおかしくなって……兄とセックスするなんて、しちゃいけなかったんだ。俺はどうすればいいんだ……」

うつろな表情で衛が呟き、泰正の唇をふさいできた。衛が首なし男のせいでおかしくなっているのは確かだが、口にしている言葉は衛の本音なのだと泰正も気づいた。兄弟で身体を重ねることに対して泰正はあまり罪悪感も背徳感も抱いていなかったが、衛はこれ以上ないくらい悩み苦しんでいる。セックスはそれほど悪いことだったのか。好きな相手とならしてもいいと思っていた。

「俺はおかしいんだよ、兄さん……。どうして俺を止めてくれないんだ……」

悲痛な訴えをする衛に、泰正はどうしたらいいか分からず息を吞んだ。とっさに押さえつけられていた手が離れた瞬間、ぎゅっと衛を抱きしめた。ハッとしたように衛が動きを止める。

――ようやく分かった。

傍にいてはいけないのだ。一緒にいると、衛がおかしくなる。その原因は自分なのだ。

「衛、お前……俺のせいで、駄目になってるのか？」

おそるおそる尋ねると、衛の瞳が揺らいだ。泰正は重ねて聞いた。

「俺はお前のこと好きだよ。お前がしたいならエッチなことしてもいいって思ってた……。でもそれじゃ駄目なんだな……？」

確認するように泰正が言うと、衛が唇を嚙んで目を伏せた。苦しげな吐息をこぼす衛は、いつもの衛に近かった。

「……兄さんは、俺を弟として好きなだけだろ……。俺が欲しいのは、家族愛じゃない……」

家族愛ではない、と言われてショックのあまり、泰正はしがみついていた腕から力が抜けた。ずるりと腕が落ちて、床につく。

泰正が衛に対して抱いているのはあくまで家族としての愛情だ。けれど衛はそれが欲しいわけではないと言う。

「じゃあ……衛は……違うのか？」

あまりに泰正が呆然とした顔をしていたせいか、衛の表情がどんどん絶望的なものに変わっていった。

「家族としての愛情はもちろんあるよ。……でもそれ以上に俺は、兄さんを恋人みたいに好きなんだ。だから欲情するんだろ……」

ここにきて初めて衛と自分の感覚に大きな隔《へだ》たりがあったのに気づき、泰正は頭が真っ白になった。衛が求めるもの――それを泰正が与えられるかどうか分からない。セックスは気持ちいいが、自分からしたいとは思わない。衛がしたがるからつき合っているだけだ。恋人として、なんて考えたこともない。大体家族であることは変えられないのに、恋人の目線になどなれるはずがない。

「……兄さんは、俺がお嫁さんをもらったら嬉しい？」

泰正を見下ろしながら衛が寂しげな表情で、ぽつりと尋ねてきた。もちろん嬉しいに決まっている。

泰正がこくりと頷くと、衛の顔から表情が失われた。

「そうだよね……兄さんは俺を弟としてしか愛してないもの。俺は違う。俺は兄さんがお嫁さんを連れてきたら嫉妬する。憎くて殺したくなる。佐智子《さちこ》先生のことだってすごいショックだった。俺と兄さんは違うんだよ」

衛に赤裸々な感情をぶつけられて、泰正は真っ青になった。これほど互いの気持ちが離れているとは思わなかった。

「兄さんを抱くまではよかったんだ、でも一度抱いたら……手放すのがつらくて、それ以外考えられなくなって、頭がおかしくなりそうで……。今だって、この苛立ちを兄さんにぶつけたくてたまらない……」

衛は握った拳を震わせて、床に押しつけるようにする。泰正は何も言えなくなって、床に膝をついた。

その時、突然電話が鳴りだした。空気が張りつめていたので、泰正はびくっと肩を揺らした。電話の音がきっかけのように、今までやんでいた窓ガラスの音が再び激しくなる。黒い影が窓を大きく叩いている。

「うるさいな……」

衛は今初めて窓ガラスの音に気づいたようで、眉間にしわを寄せてよろめきながら立ち上がった。鳴りやまない電話の音を厭《いと》いながら、電話機に向かう。衛が受話器をとり上げようとしたその刹那《せつな》
――耳をつんざくような音が室内に響き渡り、窓ガラスが割れた。

「わあああ……ッ!!」

泰正はとっさに頭をかばって、床に跪《ひざまず》いた。突風でも吹き荒れたかのごとく、ガラスの破片が室内に飛んできた。同時に黒い影が泰正に飛びかかってきて、大きな手が首を絞め上げる。

「兄さん!?　大丈夫!?」

床に引っくり返った泰正は首を押さえてもがいた。首なし男が泰正の身体の上にのしかかって、首を絞めていた。けれど衛にはそれが見えず、七転八倒する泰正に呆気にとられる。

「兄さん、血が……っ」

苦しげに呻《うめ》く泰正の視界に血が飛び散るのが見えた。ガラスの破片が降ってきて、泰正の肌を傷つけたのだ。衛はそれで痛がっていると思ったらしく、「救急箱をとってくるよ！」と棚に駆け寄る。行かないでくれ。そう叫びたくても泰正は息ができなくて、もがき苦しむ。意識が遠のきそうになって、必死に首なし男に抵抗していた。ここずっとろくに食事をとっていなかったせいで力がまったく入らない。苦しくて涙がこぼれ、掠れた息だけが漏れ出る。

電話の音が鳴りやんだと思ったら、今度はチャイムの音が聞こえた。

「兄さん、兄さん、どうしたの!?　息ができないの!?」

救急箱を抱えてきた衛が、床に倒れて土気色になっている泰正を抱き起こして青ざめる。チャイムの音はまだ鳴っている。泰正は首を絞められて朦朧《もうろう》としてきて、身体を震わせた。

「しっかりして！　兄さん!!」

着ていたシャツの襟元を衛が弛める。その際に首にかけていたお守り袋から、割れた水晶のかけらがこぼれ落ちてきた。割れたものの未練がましくお守り袋に入れておいたやつだ。もう駄目かも、と思った矢先、首なし男の手に水晶のかけらが触れ、黒い影がはじかれたように泰正の上から離れた。

衛がこぼれた水晶のかけらを手にして目を見開いている。

「兄さん!! このかけら、何……? 兄さん、しっかりして!」

「ゴホ……ッ、ゲホ……ッ」

息が吸えるようになって、泰正は激しく咳き込んだ。目尻から涙がこぼれ出て、全身からどっと冷や汗が噴き出る。必死になって空気をとり込みながら、泰正はチャイムが鳴っている玄関を指で示した。なんとなく長峰ではないかと思ったのだ。衛は泰正を案じつつも玄関に走った。

「長峰さん⁉」

「すみません、泰正君は無事ですか」

爽やかな風を感じて目を開けると、強張った顔で長峰が入ってきたところだった。泰正は再び激しく咳き込んで、咽《のど》を押さえた。

「うう……う……首なし男がぁ……」

泰正の背中に手を回し、長峰が起こしてくれる。衛は何が起こったのか分からない様子で長峰と泰正を交互に見る。

「危ないところだった。ひどく嫌な予感がしたんで会社帰りに寄ったんです。三門先生、ここ見てください」

長峰が真剣な口調で泰正の首を指差す。泰正がぐったりして長峰に寄り掛かると、衛がいぶかしげに覗き込んできた。衛は泰正の首を見るなり、サッと顔を強張らせた。

「なんだ、この痕……。人の手、みたいな……」

泰正の首に触れた衛は、理解できないものに直面したように呆然とした。泰正は咽から苦しさがとれず、また咳き込んだ。

「首なし男に絞められたんだぞ……死ぬかと思った……」

しわがれた声で泰正が訴えると、衛が呆気にとられる。

「まさか……そんな、でも……」

「早急に手を打ったほうがいいと思いますよ」

真面目な顔で諭す長峰に、衛は言葉を失った。


長峰は、泰正にまた自分のお守りを手渡すと帰っていった。お守りを作ってもらったら訪ねると言ったものの、窓の外まで首なし男が迫っているのは危険だと思い、様子を見に寄ってくれたらしい。当座は今日のお守りでしのげるだろうというのが長峰の意見だった。泰正はまだ絞められた感触が残っていて、その日はお守りを抱いて早々に布団に潜った。ここのところずっと衛と同じベッドで寝ていた泰正だが、今夜は別の部屋に布団を敷いた。衛も文句は言わなかった。衛はまだ信じられない様子だったが、泰正の様子がおかしかったのと首についた指の痕を見て、泰正の言うことを信じてくれたようだ。

首なし男は首が見つからないと怒っているのだ。一刻も早く見つけなければならないと思い、泰正は明日神谷村に帰ることにした。ぐちゃぐちゃになった状態で衛と離れていいのだろうかと躊躇《ちゅうちょ》したが、長峰の「三門先生も一緒に戻って探して下さい」という後押しで、衛も一緒に帰郷してくれることになった。

翌日はまだ薄暗いうちから起きて、衛と一緒に午前の便の飛行機で神谷村に向かった。幸い昨夜はろくに眠れなかったので、機内では爆睡するだろう。

飛行機に乗っている辺りから、泰正には予感があった。誰かが呼ぶ声が聞こえる。ここへおいでと手招いている。

空港から父の軽トラで神谷村に戻ると、泰正はそのまま自宅ではなく二鬼山に向かってもらった。二鬼山につく頃には、午後四時を過ぎ日が暮れかけていた。逢魔《おうま》が時《とき》というが、ものの境がぼんやりとするこの時間は、すべてのものが曖昧《あいまい》で泰正のいる世界と向こうの世界が重なっている時間に思える。山の入り口で軽トラから降りると、泰正は勢いよく飛び出して山に入った。

「兄さん、待って！」

「泰正、どこへ行くんだ！」

後方から父と衛が声をかけてくるが、走りだした泰正には聞こえない。否、聞こえているが、背後に首なし男の気配を感じて足を止めることができなかった。首なし男は約束を守らない泰正に業を煮やし、今度こそ首をとろうと追ってきている。だが二鬼山に来て、山の息吹《いぶき》を感じとった泰正にはもう怖いものはなかった。東京で閉じこもる暮らしをしてよく分かった。泰正は山にいないと水を与えられない花のように枯れてしまう。山にいるだけで力が漲《みなぎ》り、活力が湧いてくる。だるかった身体はすっかり元気だし、あれほど疲れていたのに山に来たら全力で走っても疲れない。

泰正には確信があった。探し物が見つかる、と。

泰正は斜面を獣のように駆け上がり、遠くから聞こえる音に耳を澄ませた。三十分も走り続けただろうか。鳥の声や木々が葉を揺らす音に混じって、大勢の人の声が聞こえてくる。

山の中腹辺りに来ると、青地にPOLICEのロゴが背中に入った制服を着た捜査員があちこちにいるのが見えた。立ち入り禁止のテープが張られている。山の中で何かがみつかったらしく、無線や掛け声で連絡をとりあっている。山道を逸れて泰正が捜査員の中に飛び込んでいくと、慌てたように制止の声がした。

「こら、君！　入っちゃいかん！」

飛び込んできた泰正を止めようと、警察の人がわらわらと手を伸ばして近寄ってきた。だが背後から首なし男が迫っていて、止まることはできない。首なし男は音だけを頼りに、どすどすという足音を響かせて泰正を捕まえようとしている。

「泰正!?　どうしたんだ、お前！」

警察に協力しているのか消防士の島田《しまだ》や稔《みのる》が、すごい勢いで駆け込んできた泰正に呆気にとられて叫んだ。地面を掘り返した周囲に人が群がっている。その中に山田《やまだ》がいて、猛ダッシュしてきた泰正に気づき、あんぐりと口を開けた。

「どけ、どけーい!!」

泰正は猪《いのしし》のようなスピードで飛び込むと、山田の目の前に宙返りして着地した。穴の周囲にいた捜査員たちがとっさに避《よ》けようとして身体を反らした。泰正は尻から地面に落ちたが、手には掘り返された頭蓋骨を摑んでいた。

「返すぞ！」

泰正は頭蓋骨を目の前に迫ってきた首なし男に投げつけた。首なし男は頭蓋骨が胸にぶつかる寸前、大きな手でがしっとそれを摑んだ。そして、感極まったように頭蓋骨を高く掲げ、胴体に載せる。身体は生きた人間のものなのに、頭だけ骨で変な具合だったが、それはしっかりとくっついた。首なし男はぐるぐると頭蓋骨を回すと、喜びを表すように一礼した。とたんに首なし男の身体は砂でできたみたいに、ぼろぼろと足から崩れ去った。

さーっと風に乗って、首なし男が消えていく。

やっと約束を果たせた。泰正は安堵して地面に寝転がった。

「こらーっ!!　泰正!!」

ホッとしたのも束の間、消防士の島田の背筋が震え上がるような怒鳴り声が山中に響いた。泰正は慌ててぴょんと起き上がり、鬼の形相の島田に向かって土下座した。いきなり現れた泰正が慎重に掘り当てた頭蓋骨を地面に放り投げたのだ。怒り狂うのも当然だ。

「も、申し訳ございませんーっ、こちらにも事情がぁ」

地面に額を擦りつけて謝り倒す泰正に、島田だけではなく山田まで目を吊り上げて怒っている。ちょうど衛と父も駆けつけ、泰正のしでかした行為を聞き、真っ青になって一緒に謝ってくれる。首なし男の件は片づいたものの、このあと大変そうだ。

ぺこぺこと謝り続ける泰正の視界に、べーやんが見えた。木の陰から見て笑っている。からころと下駄の音をさせて、べーやんは去っていった。


神谷村に戻った泰正は、山で頭蓋骨を放り投げた詫《わ》びを入れたり、始末書を書いたり、警察の人間に頭を下げに行ったりとしばらく忙しかった。本来ならこの程度ではすまないが、東京暮らしが合わずげっそりしていた泰正を見て、皆が仕方ないと大目に見てくれたのが大きかった。母に至っては、「この子は今精神が炸裂して」と訳の分からない理由を言っていた。横から衛が「錯乱じゃないの？」と突っ込みを入れていたが、母は訂正することなくそう言い張っている。精神が炸裂するとはどんな状態かまったく分からないが、それで地元の人が納得したのが、泰正にはもっと意味不明だった。衛は神谷村に戻ってから、父母の前では以前のように頼りになる弟として振る舞っている。

母の仕入れた井戸端会議の情報によると、泰正が戻ってきた日にちょうど山では美貴本の頭の捜索が行われていた。エコ・ユートピアの社員の一人が、山に美貴本の遺体を埋めたことを供述したためだった。身元を隠すために、首だけ別の場所に埋めたという。不法投棄したドラム缶と同じ場所に身体を埋めるなんてばれやすいと思うが、これに関しては犯行に関わった社員たちはドラム缶は別の場所に置いたと口を揃えて言っている。美貴本の傍にドラム缶があったと聞き、何人かは不気味なものを感じたようだ。筋は通らないが、警察は雨や風でドラム缶があの崖下に落ちたと考えたらしい。それ以外納得できる理由が思いつかないからだ。泰正はひそかに山神の仕業ではないかと思っている。美貴本は不法投棄の件に関して社員と揉めていたらしく、口論の末に暴行を受け、命を落としたそうだ。

役場の添木は退職理由は分からないが仕事を辞めた。各方面から圧力がかかったと聞いている。神谷村の人間から苦情がいったのもあるが、山田も上の人間に話してくれたらしい。本人は不満げだったが、泰正のいない間に去ってくれたのは助かった。美貴本のようにストーカー化しないのを願うばかりだ。神谷村には平和が戻ったと武蔵は言う。

神谷村に戻って一週間が過ぎ、食欲も元気もとり戻した頃、温室栽培のみかんの収穫期がきた。親戚の人間が数人やってきて、衛も一緒になってみかんを収穫していく。衛は父母に収穫期までいてくれと引き止められていた。

背負ったカゴに摘んだみかんを入れていく作業は何度しても楽しいものだ。出荷のための作業をこなし、泰正たちは無事に収穫できたことを喜び合った。神谷村に戻ってきてからふさぎ込んでいた衛だが、親戚の伯母たちが来てから、何か吹っ切れたみたいに元の衛に戻った。内心はどうか分からないが、表向きは泰正にもふつうに接してくれる。なかなか二人きりになれず込み入った話はできないが、衛が元に戻ったなら安心だ。

「かーちゃん、峰っちにお礼送りたいんだけど」

みかんの詰まった段ボール箱を持って泰正が頼むと、母が宅配便の送り状を持ってきてくれた。神谷村に戻って数日して、長峰から泰正のお守りが送られてきた。長峰がくれるお守りは強力なので、そのお礼にうちのみかんを食べてほしいと思ったのだ。

長峰からは届いてすぐ電話があり、お礼と一緒に衛の執筆作業も終えたことを聞かされた。

『三門先生、何かあったのかな。とても文章が色っぽくなっていたよ』

泰正には文章のあれこれは分からないが、衛が褒《ほ》められるのは嬉しい。神谷村に戻ってパソコンを打っている音が聞こえてきたので原稿は進んでいるのは分かっていたが、直接聞きづらかったので長峰の情報は有り難かった。神谷村に戻って衛が少しでも以前の衛に戻ってくれたのならこんなに嬉しいことはない。

衛と真面目に話し合わなければならない。そう思っていた矢先、夕食後に衛から声をかけられた。

「兄さん。俺、明日東京に帰るよ」

衛は淡々とした態度で別れを口にした。戻るではなく帰ると言われて動揺する。内心そろそろではないかと怯《おび》えていたので、衛の申し出は泰正を落ち込ませた。それでも兄として、衛と向かい合わなければならないと考え、夜の散歩に衛を誘った。

日が長くなってきたとはいえ、六時を過ぎると神谷村は真っ暗になる。畦道《あぜみち》を歩いていると、蛙の鳴き声と虫の音が耳に心地いい。ところどころにぽつぽつとある外灯の明かりに虫が群がり、人の姿はほとんど見当たらない。村は暗いが、空は満天の星と皓々《こうこう》と輝く月がある。泰正は今年のみかんの出来や武蔵が今度はメキシコに行くという話を振りながら、田舎道を歩いていた。衛はほとんど相槌《あいづち》を打つこともなければ目も合わさず、そっぽを向いて歩いている。

「……衛、俺はやっぱり東京では暮らせないみたいだ」

誰も聞いている人がいない場所まで来て、泰正は黙って隣を歩く衛に打ち明けた。衛が離れていくのが怖くて東京までついていったが、一緒にいても衛を追い詰めるだけだった。衛を好きな気持ちは誰にも負けないつもりだが、衛の心と自分の想いは離れている。どうすればいいのか悩んだものの答えは出ず、泰正は衛を見送る決意を固めた。

「うん、分かってるよ」

衛は泰正は見ずに、遠くの山の尾根に視線を置いて答える。神谷村に戻ってから衛は一度も泰正に触れていない。何もなかったかのように振る舞われるのも寂しくて、泰正は衛の手を握った。やっと衛がこっちを向いてくれる。衛は寂しげな顔をしていた。小さい頃、置いていかれた時に見せたような表情だ。寂しがっている子犬みたいに見えて、胸にきゅーんとくるのでやめてほしい。

「でもお兄ちゃんはお前が大好きなんだぞ」

衛の手を両手でぎゅーっと握り、泰正は力強く言った。衛の目がわずかに伏せられ、握った手を見下ろす。

「それも分かってるよ……」

切なげな声で呟かれ、泰正は互いにある埋められない感情を悲しく感じた。衛が欲しいならなんでもあげるのに、衛は泰正がよく分からない感情を欲しがっている。泰正にはどうしたらいいのか見当もつかない。

「東京では暮らせないけど、もっと遊びに行くよ。衛にもここに帰ってきてほしい。飛行機にも慣れてきたし……。俺、衛が傍にいないのはやっぱり嫌だなぁ」

手を放そうとした衛の手を握り続け、泰正は自分の想いを分かってもらいたくて、言葉を綴《つづ》った。

「お前なかなか帰ってこないし……友達はたくさんいても、衛は特別なんだ。お前とはちょっと違うかもしんねーけど、ホントに大好きだからさぁ……」

「兄さん」

泰正の手をやんわりと放して、衛が小さく笑った。

「東京でのことは本当にごめん。俺の暗い部分を見せすぎた、反省してる。もう大丈夫だから心配しないで。気持ちの折り合いがついたんだ。……神谷村に戻ってきて、本当によかったよ」

どこか心ここにあらずといった衛の口調をいぶかしみ、泰正は首をかしげた。気持ちの折り合いがついたのは嬉しいが、無理をしているのではないか。

「神谷村に戻ってきて、兄さんを好きでいてもいいんだって分かったんだ。兄さん、キスしてもいい？」

唐突にキスをねだられ、泰正はどぎまぎして周囲に目を配った。こんな場所で衛がキスをしたいなんて言うとは思わなかったので驚いた。

「いいけど……」

小さな声で頷いたとたん、衛が屈《かが》み込《こ》んできて泰正の唇を奪ってきた。衛は啄むように泰正の唇を吸い、顎《あご》を押さえて深いキスへ誘っていく。田舎とはいえ誰かに見られる危険性がないわけではない。こういったことには神経質な衛にしては変だと思いつつ、泰正は黙ってキスに応じた。衛は徐々に興奮しながら泰正の口の中に舌を差し込み、耳朶《みみたぶ》を指でふにふにと弄《いじ》る。激しくなっていくキスに戸惑って泰正が胸を押し返すと、それを制するように衛の手が背中に回ってきつく抱きしめられる。

「兄さん。兄さんは山神の子じゃないよ」

耳元で衛の低い声が聞こえる。何を言っているのか分からず泰正が「え？」と問い返すと、衛が額に強く唇を押しつけてきた。

「俺には見えないものが見えるかもしれないけど、兄さんはちゃんと人間の子なんだ。変な世界に引きずられないで。俺は兄さんに現実を生きてほしい」

間近で見つめてきた衛の目は冷徹で少し恐ろしいくらいだった。いつも架空の話はやめろと言っている衛だが、今夜はささいな反論も許してくれない雰囲気があった。

「心配しなくても、すぐまた兄さんに会いに来るよ。今は無理でもいつか東京で一緒に暮らせるようにしてみせるから……。好きだよ、兄さん」

息苦しくなるほど抱きしめ、衛が囁く。泰正は戸惑いながらその抱擁《ほうよう》を受け入れていた。

ふいに畦道の向こうにベーやんがいるのが見えて、泰正は目を見開いた。ベーやんはからころと下駄の音を響かせて近寄ってくると、ベーと舌を出す。

「そいつと一緒にいちゃ駄目ー」

べーやんが衛を指差して告げる。どきりとして泰正は身体を硬くした。べーやんがそんなことを言うのは初めてだ。珍しく怒った顔でべーやんが足元の小石を蹴った。べーやんは泰正が近づいてくるのを待っていたらしいが、泰正が衛に抱かれたまま動かないのを見て、くるりと背を向けた。

べーやんが小さくなっていく。待って、と言いたかったが、べーやんはすーっと消えてしまった。

木々がざわざわと風に吹かれて騒がしい声を立てる。山のほうから冷たい風を感じて泰正は衛の温もりを得ようと腕を回した。

べーやんのことも気になったが、衛のことも気になった。衛が何を吹っ切ったのかは分からないが、憂鬱そうにしているよりはずっといい。

泰正は衛の肩にもたれかかり、いつのまにか月に雲がかかっていることに気づいた。

明日は雨かもしれない。

頬を嬲《なぶ》る風に目を細め、泰正はふと不安を感じた。

終　人間の子

Man's child

僕が実の兄に対して劣情を抱くようになったのは、忘れもしない、中学一年生の三月だった。

僕は小さい頃に山で何かに兄を攫《さら》われそうになってから、兄の誕生日にはことさら気を遣うようになっていた。あの日見た得体の知れないものは夢かもしれないと思う一方で、また兄が失踪しては大変だと思い、誕生日には兄を山に行かせないようにした。あの日は兄の誕生日から二週間くらいが経っていた。学校で問題を起こした兄は、ふてくされて山に向かった。幼心に兄を元気づけようと、僕もついていったのだ。

二鬼山《ふたおにやま》には伝説がある。昔、神谷村《かみやむら》の山の入り口と鬼沢村《きざわむら》の山の入り口には一人ずつ鬼がいたらしい。二匹の鬼はこの山を奪い合って激しい闘いを繰り広げた。そして勝ったほうの鬼が負けたほうの鬼を共食いしたと言われている。勝った鬼は、二鬼山の山神として地の底に棲《す》んでいると伝えられている。昔話なら教訓が秘められていそうなものなのに、この話にはそういったものがない。だから僕は山神が好きではなかった。

学校で怒られてやけになっていた兄は、立ち入り禁止の柵の向こう側へ進んでいった。僕はさんざん止めたけど、兄は聞かなかった。兄はどんどん奥に進み、鬼沢村の方へと向かっていった。山一つ越えた場所にある鬼沢村と神谷村はあまり仲が良くない。鬼沢村は閉鎖的な村で、過疎化が進む一方で、いずれ消える村だと皆言っている。

甘い匂いがしてきたのはふもと近くまで行った時だ。

頭の芯がふわふわするような甘ったるい匂いがして、僕と兄は急に歩くのが面倒になり草むらで身体を寄せ合った。

その後のことはぼんやりとしか覚えていない。最初に抱きついてきたのは兄の方だった。抱き合って肌をこすりつけていくうちに変な気分になり、互いの身体を触ったり擦ったりした。僕は父と母の情事を盗み見たことがあって、気がついた時には兄とセックスの疑似行為をしていた。夢のような甘い時間。何時間が過ぎたか分からないが、気づいたら身体がべとべとになっていて妙にぐったりしていた。後から知ったのだが、鬼沢村では麻の変種を育てていて、三月の開花時期には幻覚を見せる花の匂いが周囲に充満するという。風向きが変わって僕たちは幻覚から解放されたのだろう。僕たちはふらふらした足どりで川に向かい、汚れた身体を洗った。水は幻覚をさます力を持っている。僕たちはすっかり夢から醒め、互いにそれについて話し合うこともなく家路についた。

兄は僕より一つ年上だったにも拘《かかわ》らず、花畑で起きたことに関してまるで興味を持たなかった。僕はませていたのか寝ても覚めてもあの日の出来事が忘れられず、悶々《もんもん》とする日々を過ごしていた。自慰行為を始めたのもこの頃なのだが、僕が頭に思い描くのはいつもあの日の出来事だ。兄と触れ合った行為を反芻《はんすう》して何度も一時の快楽を得ていた。

兄と触れ合うことが異常な行為だと知ったのはそのあとで、僕は自分が気持ち悪い存在に思えて動揺した。必死に周囲の友達と合わせて、女性の身体に欲情しようと努めた。ところが僕は女性に興奮できないどころか、興味さえまったく抱けなくなっていた。自分はどこかおかしいのではないかと悩み、懸命に他のもので補おうとした。僕は勉強もできるしスポーツも得意だ。教師の覚えもいいし、友人には優しく接している。だけど女性の身体に興奮できない。表に見せる顔がよくなればなるほど、僕自身はとんでもない異常な人間に思えて落ち込んだ。唯一僕が興味を持てる女性は、兄とどこか似ている部分を持ち合わせている人だった。最初は自分で気づいていなかったのだが、ようやくつき合えた相手の顔が兄と似ていると洋平《ようへい》に指摘され、心の中でショックを受けていた。僕は知らぬうちに兄の面影を女性に求めていたのだ。その感情の先にあるものは、子どもだった僕には背負いきれないほど重く、僕はずっと自分の気持ちから目を背けていた。

何よりも落ち込むのは、あの日同じ体験をしたのに兄には一向にそういう兆しがなかったことだ。あの日の出来事はとるに足らない遊戯でもあったみたいに。

僕は村を出て進学校に入り、東京の大学に進んだ。なるべく村から遠くに身を置きたかった。人が多い場所なら自分の異常さが隠せる気もした。成長するにつれ、僕の病気はひどくなっていった。兄に似ていない相手には、恋心を抱くこともなければ、欲情することもないのだ。男が好きなのではないかと思い、そういった手合いの店に行ったこともあるが、意味はなかった。

僕は実の兄に劣情を抱いている。遠く離れていても僕の興味の対象は兄だけなのだ。休みのたびに実家に戻り、兄の明るい笑顔を見て癒された。兄は変人だけれどひどく可愛くて、時々ぎゅーっと抱きしめるのが僕の幸せだった。

僕は兄に性的な欲求を抱いている。兄を押さえつけてその唇を奪い、めちゃくちゃに犯したいと思っている。ふだんほとんど興奮することがないのに、兄を犯す妄想をするだけで勃起《ぼっき》する。何かの呪いではないだろうかと疑うくらい、僕の身体は変だった。

一時の快楽を得ることはあっても、この欲求を現実にしてはいけないことくらいよく分かっていた。兄は純真な人だから、僕に暗い欲望を押しつけられたら困ってしまうだろう。常識がない人だから、よく分からずに言いなりになってしまうかもしれない。兄は純粋に僕を好いてくれている。僕は家族愛で我慢すべきだった。

一生誰とも愛し合えなくても仕方ないと諦《あきら》めていたある日、僕は再び二鬼山で兄と性的な行為をする羽目に陥《おちい》った。我慢しようと思っても手を伸ばせばそこに欲しかった甘い果実がある。僕にはそれを我慢することができなかった。禁断の果実は想像以上に甘く、僕は溺れた。好きな人を初めて抱けたのだ。兄の中に入った時は、あまりに感極まって涙が出そうだったくらいだ。僕は欲望のままに兄を犯し、このまま死んでもいいという忘我の域に堕ちた。

夢から醒めた時は悲惨だったが、一番信じられなかったのは兄が僕を責めることもなく、あの中学生の時のようにたいして悩まなかったことだ。兄にとってセックスはそれほど重要な問題ではない。僕にとってはこれほど大きな問題なのに、兄は違う。

僕は東京についてきた兄と禁忌の関係に堕ちた。寝ている兄の身体を勝手に貪ったり、昼間から精液でどろどろにしたりしたこともある。妄想した通りに犯した。

けれどどれだけ身体を繋《つな》いでも、兄は今までとまったく変わらなかった。僕がしたいならいいよとすんなり身体を許す。兄にとって犯されることは何も意味がない。ただ一時的に気持ちいいだけ。僕とは違いすぎる。僕は兄を犯せば犯すほど、兄が遠い存在に思えて自分を見失った。兄が痩せて山に帰りたがっているのを分かっていながら、手放すこともできずに組み敷いていた。僕は自己嫌悪で毎日死にたい気分だった。求めていたものと現実が乖離《かいり》していっている。仕事は手につかず、兄に対する罪悪感は日に日に増した。どれだけ気持ちよくなろうと、兄は終わってしまえば僕を求めることはない。虚しかった。

僕は実の兄に欲情する変態だ。世間では僕の小説が評価されているけれど、いつか僕の変態性が明らかになって世界中の人間から疎《うと》まれるに決まっている。

どうして最初の相手が兄だったのか。あの日あの花の匂いを嗅《か》いだ相手が兄でなければ、もっとまともな人生を送れたのではないか。世間から後ろ指をさされるような道に兄を引きずり込みたかったわけではないのに、何故こうなってしまったのか。ありとあらゆる疑問と罵倒が僕の頭から離れなかった。時にはまるで悩まない兄に苛立ちさえ覚えた。

もういっそ死んでこの異常さから逃れるしかないのではないか――――そんな昏《くら》い考えにはまっていた僕に、思いがけない事態が起きた。

温室栽培のみかんの収穫の時期になって親戚の伯母夫婦がやってきた時だ。兄はいつもの通り朝から元気で、嬉々《きき》として駆け回っている。僕も執筆作業を一時中断し、作業員として駆り出されていた。一度畑に向かったものの、僕は昨日のうちに担当編集者と連絡をとりあわねばならなかった件があるのを思い出して、家に戻った。その時、家の台所で父と父の姉である真理子《まりこ》が話しているのを聞いてしまった。

「泰正は年々麗華《れいか》に似てくるわねぇ……。あの子の顔を見てると、本当に申し訳なくって」

潜めるような声で真理子が言い、ため息をこぼしている。僕は麗華という聞き慣れない名前に戸惑い、つい柱の陰で二人の話を聞いていた。

「麗華だってきっと喜んでいる。あの子は俺たちの子どもだよ」

いつも明るい父が、珍しく低いトーンで話していた。僕は二人が何を言っているのか分からなくて、その場を黙って離れた。鼓動が激しく脈打って、視線が定まらなかった。父が言っていた言葉は、裏を返せば兄が父母の子どもではないことを示していた。

小さい頃から不思議ではあったのだ。兄は父にも母にも似ていない。武蔵《むさし》には似ているから、祖父似なんだねというのが三門《みかど》家の決まり文句だった。だがもし、兄が父母の子どもではなかったら——僕は実の兄に欲情するという異常な世界から抜け出せるのではないかと希望が湧いた。僕はその日は何食わぬ顔で作業を手伝い、翌日村役場に戸籍を調べに行った。ところが戸籍上では特に変わったところはなく、兄は実子として届け出がされている。がっかりした僕だが、二人が話していた麗華という名前について調べるのも忘れなかった。

三門麗華——僕は今まで知らなかったのだが、父には妹がいた。死亡扱いになっていて、父とは十歳離れている。僕は藁《わら》にもすがる思いで帰宅し、兄がいないのを見計らって父母に単刀直入に尋ねた。この時少しだけ父の浮気を疑う気持ちもあったが、それよりも何よりも、兄と血が繋がっていないかもしれないという希望を捨てきれなかった。兄が聞いたら泣いて悲しむだろうが、僕にとっては兄と血の繋がった兄弟ではないというのは救いだったのだ。

僕が麗華という女性のことを尋ねると、父母は絶句してしまった。教えてくれないのではないかと危惧したが、二人は顔を見合わせてため息と共に口を開いた。

「そうか、聞いてしまったか。まぁいずれ、お前には言わなくてはならないと思っていた。いい機会だから話しておこう」

僕が思うよりもすんなりと父は秘密について語ってくれた。

「泰正は俺たちの子ではない。俺の妹……麗華の子だ」

ずっと待ち望んでいた答えが得られて、僕は思わず泣きそうになってしまった。父母からすれば悲しくて泣きそうに見えたかもしれない。だがこの時僕は救われた気持ちになり、兄を好きでいてもいいのではないかという希望を持ち始めていた。

父の妹の子なら従兄《いとこ》——もし兄が女性だったら結婚できる関係だ。それだけでもう僕は生きていけると思った。

「麗華さんはどうしたの?」

僕は興奮して詳細を尋ねた。

「麗華は泰正を産んですぐ失踪してしまった。そもそも泰正を身ごもった時も……少し心を病んでいて、相手が誰だか分からない状態だった。出生届を出さなければならないのに麗華は消え、俺たちは途方に暮れた。実はその時、母さんも身ごもっていたんだ……流産してしまったが」

どきりとして母を見ると、当時を思い出したのか母はそっと涙ぐんでいる。

「いけないこととは思いながらも、俺たちは泰正を実子として届け出た。麗華が帰ってきたら返すつもりだった。けれど麗華はあの日以来帰ってこない。だから本当は泰正は妹の子なんだ。この事実を知っているのは俺たち以外にはお祖父《じい》ちゃんと姉の真理子、それに泰正をとりあげてくれた助産師さんだけだ。彼女はもう亡くなったが」

「麗華さんは……失踪したままなの？」

僕は嫌な符合に眉を顰《ひそ》めた。兄も山で失踪したことがある。これは偶然だろうか？

「……泰正が消えてしまった時、俺たちは苦しんだ。やはり勝手に妹の子を自分たちのものにした報いがきたのだと。泰正は戻ってきてくれたが……」

父が悲しげに呟くと、母が目に涙を溜めて父を見る。

「私、今でも思うのよ。鬼沢村のあの遺体……本当は麗華ちゃんだったんじゃないかしらって」

母が胸につかえていたものを吐き出すように訴えた。

「鬼沢村の遺体……？」

「鬼沢村で若い女性の遺体が上がったことがあるの。顔が判別できないほど潰れていたんですって。私は麗華ちゃんじゃないかと思ったけど、確かめる前に鬼沢村の女性の遺体だったって言われて。遺体を調べることすらさせてもらえなかったわ。鬼沢村はいつもそう。あの村は閉鎖的すぎて好きじゃない」

母は当時の状況を思い出したのか、悔しそうだ。もし鬼沢村に彼女の遺体があったとしたら、それは何故なんだろう。誰かが殺したということなのだろうか。ぞっとして僕は眉を寄せた。

「麗華さんってどんな人だったの……？」

いつか父母がいなくなり、僕が兄に真実を話す日がくるかも知れないと思い、尋ねた。

「顔は泰正にそっくりだ。巫女《みこ》さんをやっていてな、二鬼山に祠《ほこら》があるのを知ってるか？」

胸にすっと暗い影が差してきた気がして、僕は膝の上に置いた拳《こぶし》を握りしめた。

「あそこには昔洞穴《どうけつ》があって、そこに神社があった。麗華はそこで山神に祈りを捧げていた。三門の家では時々巫女になるような霊力が高い者が出ていた。だが、分かるだろう？　あんな山の中に若い女がいたら、不埒《ふらち》な真似をする奴も出てくる。きっと麗華は……」

苦しげに父が唇を噛みしめる。今でも悔やんでいるのだろう。

「麗華が失踪した後、山崩れが起きて神社は埋まってしまった。巫女がいなくなったせいだと老人たちは心配していたな。その後数年不作が続いたから、余計に……」

父に言われて気づいたのだが、小さい頃から兄と一緒にいるとよく近所の人から野菜や果物をもらう。田舎なのでそういうものなのだろうと思っていたが、考えてみれば僕が一人でいる時はそんなものはもらった覚えがない。

「泰正は時々山神の子と言われるだろう？　それはきっと三門の血筋だからだ。神谷村の皆も泰正が人と違うのは勘づいている。皆、泰正が変人でも大切にしてくれるのはそういうわけだ。神谷村の人間は時々泰正に願い事をする。それが叶うことが多いんで、困るんだ。俺はなるべく泰正に山から離れて暮らしてほしいと思っている。霊力なんかないほうがいいんだ。泰正にはふつうに生きてほしい」

今まで父が兄に対して意外なくらい東京行きを勧めていた理由が分かり、僕は大きく頷いた。

「心配しないで、父さん、母さん。兄さんの面倒は俺が見るよ。だって兄さんは山神の子なんかじゃない。この家の子だ」

正月になるたび繰り返していた言葉を、僕は強い口調で断言した。

「俺が兄さんをずっと守っていくよ」

兄を一生守り続けるという確固たる理由ができて、僕はこれ以上ないほどの幸福に包まれていた。

父と母は秘密にしていたことを明かせて、肩の荷が下りたように嬉しそうだ。

兄を愛してしまった罪悪感から解き放たれ、僕は生きる気力が湧いてきて未来に希望が持てた。僕は戸籍上で兄と繋がりがあることを本当によかったと思った。

一生兄と一緒にいられる理由がある。

僕は兄を守り続ける。兄を愛し続ける。

たとえ山神の子どもでも渡さない。

僕は深い決意を抱いて、父と母にそう誓った。

POSTSCRIPT

HANA YAKOU

はじめまして＆こんにちは。夜光花です。

今回の本は以前シャイさんで出した花シリーズと同じ世界観の話です。兄×弟を出した際、せっかくだから弟×兄もやりたいねと担当さんと話していて、無事水名瀬先生の絵で刊行となりました。時間軸で言うと、『堕ちる花』より少し前ですね。尚吾ママの身代わり遺体のくだりを書いた時、この遺体の理由もどこかで書けたらいいなぁと思っていたので個人的にすっきりです。花シリーズ読まなくても大丈夫ですが、よかったらこちらも合わせて読んでもらえると嬉しいです。

今回兄のキャラはアホの子にしようと前々から決めていて、書いていてとても楽しかったのですが、問題は弟で、兄に負けちゃって

夜光花 URL　http://homepage3.nifty.com/yakouka/index.htm
夜光花：夜光花公式サイト

なかなかキャラが立たず、メガネでもかけてみるかとやってみてもイマイチ……。直しを重ね少しでもかっこよくなるよう頑張ったのですが、どうでしょうか。水名瀬先生がめちゃかっこよいメガネキャラを作って下さったので、それだけが救いです！　そしてキャラ立ちはともかく、主人公苦手な方もいるに違いないというのが目下の心配事です。あとシャイさんでこの本の前にやっていたのが洋風だったので、和風にしてみたのですが、いかがでしょうか。

こんな話ですがまだ続きます。恋愛濃度を高めていきたいですね。

イラストを描いて下さった水名瀬雅良先生、前シリーズに続き素敵な絵をありがとうございます。衛が想像通りイケメンで嬉しいです。泰正も可愛い！　本文の絵を見るのがすごく楽しみです。水名瀬先生がイラストを引き受けて下さったので、同じ世界観で作ることが可能になりました。本当にありがとうございます。

担当様、駄目な私を導いてくれてありがとうございます。頑張りますのでよろしくお願いします。

読んでくれた皆様、兄弟ものを（ちょっと違いますが）楽しんで下さると嬉しいです。次作もどうぞよろしくお願いします。またお会いできることを願って。

夜光花

SHY NOVELS

鬼花異聞

SHY NOVELS297

夜光花 著

HANA YAKOU

ファンレターの宛先
〒101-0065 東京都千代田区西神田3-3-9大洋ビル3F
(株)大洋図書 SHY NOVELS編集部
「夜光花先生」「水名瀬雅良先生」係
皆様のお便りをお待ちしております。

初版第一刷2013年2月5日

発行者	山田章博
発行所	株式会社大洋図書 〒101-0065 東京都千代田区西神田3-3-9大洋ビル 電話03-3263-2424(代表) 〒101-0065 東京都千代田区西神田3-3-9大洋ビル3F 電話03-3556-1352(編集)
イラスト	水名瀬雅良
デザイン	Plumage Design Office
カラー印刷	小宮山印刷株式会社
本文印刷	株式会社暁印刷
製本	株式会社暁印刷

ISBN978-4-8130-1265-8